まのサプリ　みみずくの夜《ヨル》メールIII

目次

あたまのサプリ　みみずくの夜《ヨル》メールⅢ

さらば息子は愚連隊

自分の作品の題名をまちがえられることは、よくあることだ。いちいち訂正していては疲れてしまう。最近では、笑ってすませるようにしている。

しかし、昨日はびっくりした。盛岡で、

「イツキさんの新刊、『みみずの夜《ヨル》メール』、やっとでましたね」

「ミミズ？」

思わず顔がこわばる。笑おうとするが、ちょっと無理。

「本屋さんで読ませていただきました」

「買わなかったの？」

「いや、あんまり読みやすい本なんで、つい一気に立ち読みしちゃいました」

「うーむ」

読みやすいように配慮して活字を組んだのは、自分が老眼のせいである。しかし、あんまり読みやすい本というのも問題なんですね。ちょっと反省した。

いつだったか私のデビュー作『さらばモスクワ愚連隊』を、

『さらば息子《むすこ》は愚連隊』

と、紹介されたことがある。あの教育長さん、きっと息子さんのことで頭を悩ましておられたにちがいない。

『朱鷺《とき》の墓』を、

『シュロの墓』

と読まれることなど最近では慣れっこである。

朱鷺は学名がニッポニア・ニッポン。英語ではアイビス（ibis）である。いっそのこと『アイビスの墓』とでもすりゃ、恰好《かっこう》よかったのかも。

いつぞやは『内灘《うちなだ》夫人』を『ナイナン夫人』と読んだ学生がいた。

これは間違いではないが、濁るべきでない字を、濁音で読まれると、なんとなく気になるものだ。

「イツギさん」

と、濁って呼びかける人が結構いる。ノサカアキユキ、アキヨウコ、いずれも濁らないのが正しい。柳田国男もヤナギタである。私も以前は、ヤナギダクニオと読んでいた。

一度サイン会で、水上さんというかたがこられた。

「ミズカミさんとお読みするんですよね」

と、知ったかぶりをしたら、

「いや、ミナカミです」

四、五人後に、また水上さんがこられる。

「ミナカミさんですか」

「いや、ミズカミと読みます」

そもそも濁音と清音という表現に問題があるように思う。辞書をひくと、

【濁】①にごり。②けがれ。不正。③濁音の略。

などとなっている。どう考えても良いイメージではない。「清」はその反対に、いいことだらけだ。裏と表もそう。

黒と白、男と女、上と下、など、みんな片方が良くて、片方がマイナスのイメージである。だから「裏日本」と書くたびに、いつも新聞社から直されるのだろう。しかし、表が良くて裏が悪い、という感覚そのものにも問題があるのではないか。

以前、ボクシングのヘビー級チャンピオンだったカシアス・クレイ、のちのモハメッド・アリと対談したときに、

「英語を使っているかぎり、私たち黒人は永遠に偏見をふりはらうことができないのです。ブラックメール（恐喝）、ブラックマジック（黒魔術）、ブラックリスト、ブラックマーケット（闇市《やみいち》）、ブラックフラッグ（海賊旗）など、黒のイメージは常に悪い意味で用いられるのですから」

と、彼が言っていたのを思いだす。

「みみずく、は、ほんとうは、耳付く、なんです。だからミミツクと言うべきで

はないでしょうか」
というおハガキが先日とどいた。うーむ。

やっぱりネコも好き

世の中には、ネコが嫌い、イヌが苦手《にがて》という人が少なくない。

そんなイヌネコ嫌いでも、なにかのきっかけで触れあうようになると、ほとんどの人が変わる。

それまでのイヌネコ・アレルギーはどこへいったのかと、呆《あき》れて笑いたくなるようなケースもあるのだからおもしろい。

私は子供のころ、いつもイヌやネコと遊んで育った。

イヌとちがって、ネコはおおむね子供が嫌いである。

子供は突発的に行動する。いきなり抱きあげたり、理由もなく放《ほう》り投げたりもする。理知的なネコは、そういう予測できない反応が苦手なのだろうと思う。

私はどちらかといえば、イヌ党だ。ネコの万事につけ用心ぶかいところが、まだるっこいのである。

たとえば食卓のそばに近づいてきたネコに、フグ刺しの切れ端を差しだしたりしても、これがすぐに食べない。

人間だってめったに頂けないフグの刺し身だ。しかも下関《しものせき》からの直送品だ。ゴロゴロと喉《のど》を鳴らして、感涙にむせびながらしゃぶりつくのが当然だろう。

舌つづみをうって、一気にのみこみ、もっとちょうだい、と膝《ひざ》に甘えるぐらいの愛想があってもいいはずではないか。

それを、なんたることか。すぐに食べない。鼻を近づけて匂《にお》いをかいだり、眺めたり、そのあげくにはチロチロと舌の先端でなめてみたりと、時間がかかることおびただしい。

フグが嫌いなら態度で示せばいいのだ。

べつに食べていただく必要はない。引っこめようとすると、なんのことはない結局は食べるのである。

九州人の私には、ネコのそういう慎重さが気にくわないのだ。食うなら最初から「いただきますっ！」と食いつくがよか。食って旨《うま》かったら、ニャンニャンがニャンとネコ踊りの一手でも見せんかい。

とかなんとか文句を言いながらも、やはりネコも嫌いではないのである。金沢に住んでいたころ、おもしろい性格のネコが居ついていた。まるでイヌみたいなネコなのだ。

近所へでかけると、必ず一緒についてくる。少し距離をおいて、ピョンピョンとびはねながら先になったり、うしろになったり。

郵便局で用をたしていると、おとなしく建物の前で待っている。前脚《まえあし》をきちんとそろえて、いかにも品のいい坐《すわ》りかただ。野良《のら》のくせに姿勢だけはノーブルなところがおかしい。

帰り道はついてこない。よその家の庭を横切ったり、塀《へい》をくぐったりして近道をし、先に家の前で待っている。

「どう？　こっちのほうが早いでしょ」

と、いわんばかりの得意顔。

私が「チクショウ！」などと口惜《くや》しがってみせると、ヒゲをふるわせてすこぶるうれしそうだ。

このネコ、前から家にいるイヌと、とても仲がよかった。イヌの名前はドンという。ウンともスンとも声をださない無口なイヌなので、ショーロホフの長編小説『静かなドン』からとってつけた名前である。

ドンは気だての優しい、おとなしいイヌだった。ネコが引っかいたり、いたずらをしたりしても決して怒らない。ときどき背中をなめてやったりもしていた。

ある日、家の前の道路でネコが車にひかれた。即死だった。

その日から、ふとドンがいないな、と思うと、家の前の道路の端に坐っている。どこを見るでなし、ただ呆然《ぼうぜん》とネコがひかれた場所を眺めて日を過ごすのである。

やがてそのドンも死んだ。

私はイヌもネコも、両方とも好きである。

どうして人を殴るの？

深夜、衛星放送のテレビで映画を観《み》ていた。

一九八三年のルルーシュの作品である。途中から観たので、タイトルは見そこねたが、どうやら歌手のエディット・ピアフの恋物語らしい。

「愛の讃歌《さんか》」や「バラ色の人生」などをうたうピアフの声には、いささかも湿ったところがない。あくまで堂々と自己主張する女性の歌である。

しかし、ピアフの歌声には、なんともいえぬ人生の悲哀が漂っていて胸をうたれた。ビリー・ホリデイの歌も、そうだった。切ない歌をうたって、それでいてめそめそしていないのだ。胸を張って悲しみと対峙《たいじ》している人間の姿が、そこにはあった。

ピアフがアメリカへいき、ニューヨークで公演をする。たまたま、フランス人の有名なボクサーが試合のためにニューヨークにきている。やがて世界チャンピオンに挑戦するはずのミドル級のボクサーだ。

彼に誘われてピアフは気晴らしの食事につきあうが、なんとなく雰囲気《ふんいき》がもりあがらない。会話もとぎれがちで、映画を観ているこちらのほうも、一体どうなるんだろうとやきもきする。

そのレストランは、どうやらボクシング関係者のご愛用の店らしい。壁には試合のスナップショットが飾ってあるだけで、いささか殺風景な感じのレストランだ。

所在《しよざい》なげに壁の写真に目をやっていたピアフが、ふとボクサーをふり返ってきく。

「どうして人を殴るの？」

そう唐突にきかれた男は、むっとしたりせずに、落ち着いてきき返す。

「どうして君は悲しい歌をうたうの？」

ピアフはごく自然な感じで答える。

「悲しい歌をうたうのは、陽気になりたいからよ」

するとボクサーはかすかに目で微笑して言う。

「ぼくが人を殴るのは、優しくなりたいからさ」

そして恋がはじまる。

実際の映画のなかのセリフとは少しちがうかもしれない。だが、ほんとにいい会話だなあ、と感心した。深い会話というのではなく、小洒落《こじゃれ》ているとでもいおうか、あるいはエスプリに富んだ会話とでもいうべきなのか、人生の上澄みのところを軽くスプーンですくってみせるようなセリフの組み立てである。

人生の本当に深い、底のところの沈澱《ちんでん》物を掘りおこすような会話は、恋物語には合わない。上澄みをすくって、底のおりを感じさせるというのが、都会派の作劇術だろう。

フランス文学者の河盛好蔵《かわもりよしぞう》さんが、生前どこかでおっしゃっていた言葉を、ふと思いだした。たぶん河盛さんは、こんな意味のことを言われていたように思う。

「フランス文学の真価は、いつも良き通俗の感覚が生きているところにあるのです」

私たちが若いころは、ルルーシュは甘い、という暗黙の評価があった。片方にゴダールをおくと、どうしてもルルーシュは通俗的に見えてしまうのである。

アメリカのハードボイルド小説が魅力的なのは、主人公が極度にセンチメンタルだからだ。人一倍、感傷的で優しい人間が、ストイックにそれを押し隠して行動する、ハードボイルドとはそういう世界だろう。

ハードボイルド小説に不可欠なものは、乾いた抒情《じょじょう》と、屈折したユーモアと、エスプリに富んだ会話の応酬である。

そういう小説を書いてみたい、と、昔は思わぬでもなかったが、いまは諦《あきら》めている。根のないところに花は咲かない、そんな気がしてならないのだ。

エスカレーターの謎

大阪でエスカレーターに乗ると、いつも戸惑う。だれもが右側に並んでいるからだ。

右側のゴムの手すりにつかまって、雀《すずめ》の行列のように整然と並んでいる。

急ぐ人たちは、その左側をどんどん追い越していく。

私はふだん大きなキャリーバッグを引いて旅をしているので、追い越されるままに右側におとなしく立っている。

これが東京駅につくと、たちまち逆転する。だれもが左側に一列に立つのだ。せっかちな連中は、右側を通って追い抜いていく。

大阪は右。東京は左。

これをまちがうと、うしろから肩を押されたり、舌打ちしながら追い越されたりするから注意が必要だ。

最近はやっと慣れて、大阪では自然に右側に立つようになった。

しかし、どういうわけで東西ではこうもちがうのだろう。

感覚的には左に立つほうが自然な気がする。右手でバッグをさげるので、左側の手すりのベルトをつかんだほうが楽なのだ。

それに高速道路の場合を考えても、急ぐ車は右側を追い越すのがルールではないか。

しかし、また別な考えかたもある。わが国は車は左側通行が原則だ。とすると、止まっているのでない歩行者は、右側通行をするのが理屈に合っているのかもしれない。

知人、友人らにたずねてみても、あまり明快な答えは返ってこない。そもそも、そういうことを問題にすること自体が、ヒマ人の遊びのように思われるらしく、

「まあ、どっちでもええんとちゃう？」

などと東京の人から変な関西弁でからかわれる始末。

先週、札幌《さっぽろ》にいった。地下鉄で注意して見ていると、札幌の人は好き勝手に立っている。

右に立つ人、左に立つ人、まん中で抱きあっているカップルもいた。じつに北海道はおおらかである。

香港《ホンコン》はイギリス式で、車は左側通行だから日本と同じだ。エスカレーターの立ちかたを確かめると、地下鉄でもショッピングモールでも、ほとんど右側であった。大阪と同じである。香港人は関西ふうであるらしい。

九州はどうか。

そういえば昔、博多《はかた》でエスカレーターで下っていると、下から猛烈な勢いで逆に駆けのぼってくるオッサンがいた。こういう人は九州以外では、あまりお目にかかれない。要するにどっちでも勝手にする、ということか。

そういう私も九州の人なので、そそっかしさでは人後におちない。

いつだったか仙台のデパートで、ぼんやり考えごとをしていて、エスカレーターの終点でつんのめったことがある。ラバーソールが引っかかって前に倒れそうになったのだ。

思わず両手をつきだしたら、前のご婦人のヒップにすがりつくようなかたちになってしまった。

「あっ、すみませーん！」

と、大声で謝ったが、相手の女性は、呆《あき》れたように無言で首をふっていってしまった。もしも、

「痴漢！」

と大声で叫ばれでもしたら、大変なことになっていただろう。

「流行作家、痴漢で逮捕」

などと、新聞の見出しが目に浮かぶ。いや、じつに世の中はなにがおこるかわからないものである。

エレベーターとエスカレーターを選べと言われたら、私は迷わずエスカレーターのほうにする。時間はかかっても狭い空間に閉じこめられて移動するより、前

後左右を眺めながら上り下りするほうが楽しい。
それにしても、大阪と東京とで立つ側がちがうのはなぜだろう?

私の気やすめ健康法

きのうの朝、目をさましたら喉《のど》が変だった。唾《つば》をのみこむと違和感がある。痛いわけではないが、いがらっぽい感じだ。

なんとなく頭が重い。体もだるい。大したことはないが、熱もありそうだ。

そうか、そろそろきたか、と納得《なっとく》するところがあった。この数日、ちょっと無理をしすぎていた。この年になって徹夜が幾晩か続くと、やはり覿面《てきめん》にこたえる。

生活力が落ちて、体のバランスが崩れたにちがいない。

生活力というのは、ふつう一般にいう「生活能力」のことではない。「生」の「活力」のことだ。生・活力とでもいうべきか。

この生・活力が落ちると、いろんな不都合《ふつごう》が体の各部に生じてくる。たとえば免疫力《めんえきりょく》が低下したり、抵抗力がなくなったり、というようなことだ。

ちょっとしたことで体の各部に異変がおきるのもそのせいだろう。

たとえばモノモライができる。それを単に目の故障だと考えるのは、まちがっていると思う。汚い手で目をこすったり、細菌がはいってきたりしても、生・活力がちゃんと働いていれば大丈夫だ。

クーラーに当たりすぎて風邪《かぜ》をひくのも、悪いものを食べて下痢《げり》をするのも、ひっきょう生・活力が落ちて体のバランスが崩れているからではあるまいか。

そういう考えかたに立つと、頭痛がおきたからといってじかに頭痛に対処するのは意味がない、と思われてくる。目に何かできたからといって、すぐに目の治療にかかるのも考えものだ。喉が痛いからといって、喉だけを治そうとするのもおかしい。

そういうわけで、喉の痛み、発熱、頭痛、体のだるさをワンセットにして、生・活力が低下してるな、と判断した。

とりあえず眠る。ベッドに横になって、体をやすめる。食事をとらずに、常温の水を飲む。いちばん大事なのは、新聞や雑誌の編集部に連絡して、原稿の締め切りをのばしてもらうことだ。

アルコールを飲まず、風呂《ふろ》にはいらず、活字を読まない。ただごろんと横たわって、静かに息をしている。

明日《あした》は広島へいくことになっている。デパートのそごうで「百寺《ひゃくじ》巡礼展」というのが催されており、そこでちょっとした話をしなければならない。その翌日の三日は「龍谷《りゅうこく》大学 in HIROSHIMA」という催しに参加することになっている。

あすまでには、なんとしてでも動けるようになっていなくてはならないのだ。

一日中ずっと息をひそめて死んだふりをしていたら、少しずつ体調が回復してくるような実感があった。ここからが正念場である。体の不調はなりたてよりも、回復していく後半が肝要なのである。ただひたすら呼吸を静めて、死んだようにじっとしている。

私がそこで実践していることの第一は「気やすめ」である。気やすめ、というと、その場かぎりの適当な安心のことだが、私は文字どおり「気」を休めることと解釈する。締め切りをのばすのも、呼吸を深くするのも、苛立《いらだ》った気の流れを整《ととの》え、心身のバランスをとりもどすためだ。それが「気やすめ」だ。

つぎに「箸《はし》やすめ」。これは説明不要だろう。ものを食べるのを一時やすむ。

さらに「骨やすめ」も大事である。仕事の合間に休憩することではなく、日々、過大な負荷《ふか》に耐え、重力に抗して体を支えている骨を横にしてやすめる。

そして最後が「目やすめ」。これは活字と映像を見ないこと。さらに「口やすめ」はしゃべらないこと。この五つの「やすめ」で、なんとか今度も立ち直れそうな気配だ。

やれやれ。

赤い橋を渡りながら

先日、恐山《おそれざん》を取材したときの未編集のビデオを見せてもらった。

ドキュメンタリー番組というのは、撮影が半分、残り半分が編集の仕事である。構成作家と、ディレクターと、編集マンとが協力して素材を料理する。

現地で出演している私にも、最終的にどんな番組に仕上がるかは見当がつかない。

その辺が共同作業のおもしろさなのだが、ちょっぴり不安もあって、オンエアを見るときに、どきどきするのが毎度のことだ。

編集の途中のビデオを見ながら、いろんなことを思いだした。

恐山の入り口に「三途《さんず》の川」という標識が立っていた。その先に赤い橋がある。

まん中が高くもりあがった渡りにくい橋だ。

その橋を見たとき、すぐに頭に浮かんだメロディーがあった。

〽ふしぎな橋がこの街にある

三十年以上も昔によく聴いた浅川マキのうたう『赤い橋』という歌だ。

「このシーンのバックに、『赤い橋』を流してくれるとうれしいんだけどなあ」

と、若いスタッフに言ったが、だれもその歌を知らないようだった。

それも当然だろう。当時にはまだ生まれていなかった世代が大半なのである。

しかし編集中の映像には、ちゃんと『赤い橋』がはいっていた。

「やっとみつけましたよ。探すのが大変でした」

と、演出家が言った。

「イツキさんの特別のご要望にこたえまして」

画面では私がようやく橋を渡りきって、三途の川をこえるところである。その背中を浅川マキの重い歌声が追いかけていく。

〽渡った人は帰らない

橋のかなたには、炎天のもと、蜃気楼《しんきろう》のようにゆらゆらと恐山の風景がひろがっている。

ふと、以前に一度、恐山に詣《もう》でたとき、イタコさんの口寄せを聴いたことがあったのを思いだした。

だれを呼びますか、ときかれて、反射的に、

「五十嵐《いがらし》一《ひとし》さんを呼んでください」

と答えた。卓抜なイスラム学者だった五十嵐さんが不可解な事件に巻き込まれて亡くなってから、少したったころのことだったと思う。

その人はいつ死んだのか、と醇《じゅんこ》平たる津軽《つがる》弁でイタコさんはたずねた。私がそれに答えると、

「もっと日がたった人でないとダメだ。三途の川を渡りきっていない」というような意味のことを彼女は言った。「マイネ」という否定語だけは私にもわかった。

「それじゃ、ずっと前に死んだぼくの弟を呼んでもらえませんか」

私が弟の命日を知らせると、イタコさんはうなずいて、招霊《しょうれい》の導入儀式にとりかかった。

しばらくして、イタコさんは、こんなふうに口寄せを聞かせてくれた。

「きょうは兄貴がきてくれて本当にうれしい。おれはカラスになって、兄貴の頭の上をカアカア鳴きながら飛び回っていたんだが、気づいてもらえずに悲しかったよ。でも、こうして呼んでくれて心が晴れ晴れとした。交通事故にあわぬよう、陰ながら兄貴を守っているからね」

九州訛《なま》りのきつい弟だったが、その日にかぎって、なぜか津軽弁を上手《じょうず》にしゃべったことを懐かしく思いだす。

明暗を香林坊の柳かな

きのう金沢から帰ってきた。

テレビ金沢という地元のテレビ局がある。そこの特別番組で小松砂丘《こまつさきゅう》の画業をたずねる企画があり、その取材のためにでかけてきたのだ。

小松砂丘、といってもご存知《ぞんじ》ないかたが多いのではあるまいか。

小松砂丘という人は、ひとことでいえば、市井《しせい》の芸術家である。明治二十九年（一八九六年）に生まれ、昭和五十年（一九七五年）に金沢で世を去った。その生涯を通じて名誉と金銭に執着《しゅうじゃく》せず、淡々と生き、人びとに愛された画家である。

小松砂丘は俳人としても知られた。

私が砂丘さんのことを知ったのは、つれあいの実家の柱にはりつけてあった一枚の護符《ごふ》のような札《ふだ》がきっかけだった。

「鎮火符《ちんかふ》」と書かれた下に一羽の雷鳥の姿がある。妙に趣《おもむき》のある絵柄で、気になった。

「だれの作だろう?」

ときくと、砂丘さんにきまっとるがや、と当然のような口調で答えが返ってきた。

その後、金沢の繁華街、香林坊《こうりんぼう》の柳《やなぎ》の木の下で、くすんだ句碑《くひ》をみつけた。

「明暗を香林坊の柳かな」

という句である。

この作者が鎮火符の絵描《えか》きさんだと、そのとき知った。

しばらくたって、下町のある店で砂丘さんの絵に出会った。白山《はくさん》の山なみを前に、雷鳥が描かれていたように思う。その雷鳥の目が、なんともいえず生き生きしていておもしろかった。

私がその絵にみとれていると、カウンターのむこうで店の主人が、

「目がいいやろ」

と、うなずいて、

「ほら、このマッチ箱の絵も、箸袋《はしぶくろ》の字も、みーんな砂丘さんや」

なるほど灰皿にのっているマッチ箱の絵も、箸袋の文字も、たしかにあの鎮火符の作者の手である。

そのうち、気をつけて見ていると、金沢市内のいたるところに小松砂丘の絵や文字が氾濫《はんらん》していることがわかった。

菓子屋の包装紙や、床の間の掛け軸や、扇子《せんす》や、色紙や、その他さまざまなかたちで砂丘さんの仕事が残っているのである。

古本屋で『金沢新風景』という昔の本をみつけたのもうれしかった。これは鴨居《かもい》悠《ゆう》の文章に小松砂丘の絵がそえられた楽しい本である。たぶん当時の北國《ほっこく》新聞に連載された読みものだったはずだ。

小松砂丘という画家は、色紙でもなんでも、人に求められれば、いくらでも気がるに描《か》いてあたえたらしい。ある人が、そんなに無造作にくばっては作品の値

打ちがさがる、と忠告した。すると砂丘は、

「わしの絵は数の多いところに値打ちがあるんや」

と一笑に付したという。

小松砂丘は少年時代から木工関係の仕事につき、独学で自分の世界を創《つく》った人である。そしてその博識と教養、文才と画才は、その人柄とともに金沢人に深く愛された。

こんどはじめて砂丘の堂々たる大作を、何点も見ることができ、あらためてその才能に震撼《しんかん》させられた。黒地の梅と、黒地の松の二双《にそう》の屏風絵《びょうぶえ》は、息をのむほど素晴らしかった。その画才は、長谷川等伯《はせがわとうはく》にも、棟方志功《むなかたしこう》にもひけをとらぬものだと私は思う。

気位《きぐらい》の高い古美術商のなかには、

「うちは砂丘さんはちょっと――」

と、言外に軽《かろ》んずる気配もあるらしいが、それは作品の数が多すぎるせいらしい。しかし、箸袋やマッチ箱にまで愛用されるのは、本物の画家の栄光であると

言っていい。

金沢はうらやましい街である。

千所千滴の旅はるか

もうずいぶん昔のことになる。

「千所千泊《せんじょせんぱく》」

という目標をたてて、日本列島の知らない町や村を、無謀にも一千カ所訪れることを計画した。

菅江真澄《すがえますみ》や宮本常一《つねいち》といった大旅行作家の、爪《つめ》の垢《あか》でも煎《せん》じて飲んでみようと考えたのがきっかけである。

一度でも足を運んだ場所はカウントしない。とにかくはじめての所だけをたずねて歩く。

自分があまりに日本国のことを知らないことに愕然《がくぜん》としたのが、五十代にさしかかってのことだ。

それまでもずいぶん旅をしたつもりでいた。しかし、よくよく確かめてみると、同じ土地ばかりを訪れていることに気づく。

北では札幌《さっぽろ》、函館《はこだて》、帯広《おびひろ》、南だと福岡、熊本、長崎、宮崎、大分、佐賀などの県庁所在地がもっぱらだった。

都会から都会を新幹線やジェット機で往復しているだけでは、とうてい旅とはいえないだろう。同じ街に何十回、何百回とでかけているだけではないか。

そこで、

「千所千泊」である。

生まれてはじめて訪れる土地だけを一回、二回と数えて、一千カ所を巡り終えたら、この国のなにか見えなかった部分が見えてくるのではないか、なんとなくそう思ったのだ。

それからいったい何年たっただろう。

とりあえず部屋の壁に日本地図をはりつけて、その上にはじめて訪れた場所だけをピンポイントで待ち針を打っていく。

赤い小さなガラス玉のついた針が、最初はポツポツ、なかパッパ、十年もたつうちにかなり過密に乱立するようになった。

先日、高知県の野市町《のいちちょう》へでかけて七百八十九本目の針を刺した。先週、秋田県の本荘市《ほんじょうし》で七百九十本目となる。

一昨日、熊本県の山鹿市《やまが》に泊まったが、山鹿は五十五年前に訪れているのでノーカウント。翌日、熊本県の植木町《うえきまち》で仏教婦人会の行事に参加し、めでたく七百九十一番目をマークすることができた。

チリもつもれば山となる。チリにたとえては失礼だが、とりあえず十年、二十年の時間をかけることの大切さがよくわかった。

以前は訪れた町や村に、必ず一泊することにしていた。「千所千泊」であるからには当然である。

しかし、最近はメチャクチャ時間がない。一泊しようにもどうにもならぬ日程もあって、最近では一泊するかわりに、その土地土地のはばかりをお借りして、必ず小用をたすことを心がけている。

君子足跡《そくせき》を残さず、ただ暗香《あんこう》漂うのみ……か。

イヌがあちこちに片足をあげてマーキングしているようなものだ。日本列島各地に匂《にお》いづけをして、つぎに訪れたときにはクンクン、あ、ここは前にきたことがあるな、と深くうなずこうという下品な算段《さんだん》。

「千所千泊」ならぬ「千所千滴《せんじょせんてき》」である。

一滴のシズクも十年、二十年と続ければ岩をもうがつ。いつかは一千カ所完訪の日もくるにちがいない。

今月はこのあと、山口、防府《ほうふ》、人吉《ひとよし》、津和野《つわの》、大分、福井、などあちこちへでかけるが、すべて再訪の土地ばかりだ。

たぶん七百九十二番目の町は福岡町になるだろう。福岡県の福岡ではない。北陸の富山県の福岡である。

JRの福岡駅が九州になく、北陸にあることは、かねてからおもしろく思っていた。ちなみに福岡市のJRの駅は博多《はかた》駅である。

富山の福岡は、まえまえから一度いってみたいと思っていた町だ。一千回目の「一滴」は、はたしてどこの町になるのだろうか。

ゴキブリの青春の門

古い段ボール箱をあけてみたら、昔のビデオテープがごっそりでてきた。どうせ駄目になっているだろうと思いながらためしてみると、これが結構ちゃんと映るのである。

その一本に「遠くへ行きたい」という番組のテープがあった。一九七一年のクレジットだから、すでに三十数年前のものだ。再生してみたら、なんとなくおもしろくて、つい最後まで見てしまった。

「ゴキブリ香春岳《かわらだけ》を行く」という、ふざけたタイトルだが、中身は当時の時代相を色濃く反映していて、しばらくゴミの山に埋もれたまま感慨にふけった次第。

演出は当時の若手ディレクター・今野勉《こんのつとむ》。ゴダールふうの長回しや、手持ちカメラの荒々しいブレかたが妙に懐かしい。とても新鮮な感じがした。

いま撮影している「百寺巡礼」は、HD、いわゆるデジタルハイビジョンの映像である。高細密度をほこるこの画面を撮影するには、映画なみのセッティングが必要だ。ほとんど半永久的に劣化しない映像をつくるのだから当然かもしれないが、とにかくやたらと大変なのである。

「遠くへ行きたい」のころは、片手でも持てるベル&ハウエルのカメラだった。こいつは機動力はあるものの、すぐにフィルムがなくなる。

「すみませーん。フィルム交換させてくださーい」

というのが毎度のことで、なぜか必ずいちばんいいところでその声がかかるのがふしぎだった。

「ゴキブリ香春岳《かわらだけ》を行く」というのは、私の筑豊《ちくほう》紀行である。自作の話で恐縮だが、当時、『青春の門』という小説を書いていて、その第一巻「筑豊編」の冒頭の描写にでてくる山が、香春岳だった。

この香春岳は、『万葉集』にもうたわれた筑豊随一の名山である。しかし、いまはもう昔日《せきじつ》の面影《おもかげ》はない。主峰一ノ岳が、長年にわたるセメントの採掘でほとんどその山容を変えてしまったのだ。

「遠くへ行きたい」の番組を撮影したときには、まだかろうじて三分の二ほどが残っていた。そこへバイクで登ろうというのが「ゴキブリ香春岳を行く」の企画だったのである。

博多《はかた》の町から八木山《やきやま》峠をこえ、さらに烏尾《からすお》峠をこえて田川《たがわ》へひた走る。バイクはホンダのモンキーである。映像のバックに流れる音楽は、当時ヒットしていた「銀色の道」のジャズバージョンだ。

途中、飯塚《いいづか》のオートレース場でスッテンテンとなり、懐《ふところ》も軽く身も軽く、蒸気機関車と競走したりするという、奇妙なドキュメント番組だった。

菜の花。ボタ山。炭住《たんじゅう》。香春岳。

私はまだ三十代で、ジーパンをはき、くわえ煙草《たばこ》でバイクを走らせていた。ひなびた画面だが、二度と還《かえ》らぬ夏の匂《にお》いが、古いビデオテープからたちのぼってきた。

『お前はただの現在にすぎない――テレビになにが可能か』というテレビ論の本が、若者たちに争って読まれた時代だったのだ。

それから三十余年。私は煙草をやめ、雨のなかを傘をさして寺を回っている。「遠くへ行きたい」のディレクターの一人だった萩元晴彦《はぎもとはるひこ》もすでに世を去った。ベル&ハウエルもアリフレックスもいまは見ない。香春岳の主峰も巨大な丘と変わりはてた。

こんど「週刊モーニング」という雑誌で『青春の門』の漫画版の連載がはじまることとなった。

スタッフは『宮本武蔵《みやもとむさし》』をコミック化した編集者たちだし、画家は前に山頭火《さんとうか》を描《か》いたいわしげ孝《たかし》さんだからとても楽しみだ。

時代は変わる。そこがおもしろい。

こだわり過ぎの日々

自宅のテレビがこわれて、もう半年ちかくたつ。

もちろん古いブラウン管のテレビ受像機だ。

絵のでない黒い巨体が、でんと居坐《いすわ》っているのが目ざわりでしかたがない。

一日も早く新しいテレビを入れなければ、と毎日、焦《あせ》りながら時が過ぎてしまった。

しかし、ただぼんやりと無為《むい》に日を送っていたわけではない。

いろんな雑誌の記事を読む。販売店からもらってきたカタログを検討する。あちこちのショウルームで、実物を確かめる。切り抜いた資料をスクラップして、赤鉛筆で線をひいたりする。機械にくわしい知人に話を聞き、要点をメモしたりする。

あげくのはては、メーカーやテレビ局の内部資料まで入手して、デジタル放送の現状と未来を占ってみたりする。

もともとそういう妙に凝《こ》り性《しょう》のところがあって、なかなか具体的な行動に移れない性格なのだ。

以前、車の免許をとろうと決心したときがそうだった。

さっさと教習所に申し込めばいいものを、事前の研究調査に徹底的にこだわったのである。

まず自動車とはどういうものかを、原理的に納得できなければ気がすまない。レシプロ・エンジンの仕組みから、トランスミッション、ターボチャージャー、サスペンション、ディスク・ブレーキまで、ノートをとって勉強する。

トラクシオン・アヴァン（前輪駆動）をはじめて実用化したシトロエン社のマークが、なにを意味するのか、とか、天皇の御料車として用いられたメルセデスのグロウサーが、車体の塗装に輪島《わじま》塗りの技術をどうとり入れたのかとか、免許取得にはなんの関係もない知識を山のように頭につめこんだのちに、ようやく教習所にでかけたのである。それで車庫入れがおぼえられずに、こんな難しいことをやらせられるのなら、もう免許をとるのをやめようと思ったのだからアホみたいな話。

ちなみに、私が教習所で順番待ちのあいだに読んでいた本は、"The History of Wheel"という横文字の本だった。

そのあげく、坂道発進すらできないくせに、どこかで一丁、カウンターステアを当ててみようかなどと考えたりする始末。

要するに頭デッカチのトリビアのお化けである。そんな人間がテレビを買うとなると、これはもう大変なことになってしまう。まして最近のテレビは、DVDの機器と、合わせて一本、みたいな存在だから、ますます厄介《やっかい》だ。

さらに、受像機自体がプラズマ、液晶、古いブラウン管とさまざまで、そこにデジタル、アナログ、HDD、ハイビジョン、ブルーレイディスク、EPGにハイブリッド、CPRM、エトセトラ、エトセトラだから、もうパニック状態になるのも当然だろう。

それだけではない。メーカー各社、個性を追求するといえば恰好《かっこう》がいいが、要するにてんでんバラバラの製品を、しかも次から次へと新型機を送りだしてくるのだ。いろいろとおもんみるに、いまの流れは「テレビの悪《あ》しきパソコン化」であるように思われる。

悪しきパソコン化とは、あつかいにくい、トラブルがでやすい、高い、の三悪である。勉強すればするほど、昔の簡便なテレビが懐かしく思われてくるのも年のせいか。

結局、わが家に新しい受像機は、まだ姿をあらわしていない。

オリンピックの入場行進も、旅先のホテルのブラウン管のテレビで観《み》た。

世の中ふしぎなことばかり

世の中には、ふしぎなことが沢山《たくさん》ある。

古代からさまざまなふしぎなことを解明しようとして、科学は発達した。さらに科学が進んでくると、世の中のことはなんでも科学で説明がつくと考えるようになる。科学の理論をもとに、じつに多くのことが可能になったからである。

天然痘《てんねんとう》がなくなった。いや、まだ残っているのかもしれないが、私たちの周囲では目にしなくなった。

以前は、天然痘のことを疱瘡《ほうそう》といっていた。街中《まちなか》を歩くと、顔に疱瘡のあとのある人によく出会ったものである。

結核《けっかく》も少なくなった。私たちが子供のころは、肺病といって、ごくありふれた病気だった。肺を病んでいなければ詩人でないような錯覚もあったくらいだ。種痘《しゅとう》が広くおこなわれるようになって、天然痘は消えた。抗生物質が発見されると、肺病やみなどという言葉も死語となった。

エンジンで陸を走る。プロペラやジェットエンジンで空を飛ぶ。衛星放送で世界のニュースを見る。ついこないだイスタンブールの知人から携帯電話がかかってきた。

ぜんぶ科学の力である。科学技術が進歩すれば人間にできないことはない、と感じられてくる。

人間の感情も脳の働きであるという。性格や相性《あいしょう》にも遺伝子が関係しているという。六十兆個といわれる人間の細胞《さいぼう》の構造もほとんど説明がつく。

こうして私たちはいつのまにか、ふしぎなことはありえないように錯覚するようになった。ふしぎなことなど世の中にない、まだ研究が進んでいないだけで、その気になって科学的に研究すればちゃんと説明できるはずだと考えている。

しかし、人間の知識や科学は、そんなに偉いのか。科学で証明できないことは、すべて迷信なのか。

私はつくづく感じるのだが、科学でわかることが増えると、不可解なことがへっていくということは迷信ではないだろうか。むしろ解明できることが増えると、それに比例して、わからないことがさらに多くなっていくような気がするのだ。

化学薬品が進歩すればするほど、ますます病原菌のほうも進歩する。

一つの謎《なぞ》をとき明かせば、二つの謎がうまれてくる。照明がつよくなれば、影も濃くなる。ハーバードやケンブリッジの研究室では、想像を絶する精緻《せいち》な国際政治学や戦略論が研究されているらしい。そういう学問が進歩すればするほど、国際紛争が増えていくというのも、ふしぎな話である。

現代医学の進歩は、おそろしいほどだ。先日もある治療センターの開所記念行事に呼ばれて、いろいろ見学してきた。そこで聞いたところによると、九州にいながらニューヨークの患者さんの手術をおこなうことができるという。

医学がそんなに凄《すご》いところまできてるのなら、腰痛ぐらい一発で治してもらいたい。

鼻の奥が炎症をおこして何十年も辛《つら》い思いをしている人がいるのに、なぜなんとかならないのか。昔は蓄膿症《ちくのうしょう》といったが、いまは副鼻腔炎《ふくびくうえん》とか立派な呼びかたをする。そのくせなかなか治せない。

日本人の大人の大半は歯周病《ししゅうびょう》だという。しかし、その原因すら、いろんな説があってはっきりしないらしい。煙草《たばこ》が本当に健康に悪いのなら、なぜすぐにやめる方法がみつからないのか。やめたいと思って苦しんでいる人は無数にいるのに。

世の中にはふしぎなことが沢山ある。どうもよくわからない。

アイタタの観音さん

二年間かけて百の寺を回っている、と言うと、いろんな反応があっておもしろい。

「へえ、昔モスクワの愚連隊《ぐれんたい》の小説なんか書いてた作家が、いまは寺まいりかね」

などと苦笑する人もいるし、

「寺のそばには色町があるっていうけど、ほんと？」

と、体をのりだす罰《ばち》あたりもいる。

いちばん多いのは、

「どこのお寺の仏像が、いちばん良かったですか？」

という質問だ。

仏像が良い、という意味が私にはよくわからない。もともと仏像というのは信《しん》仰《こう》の対象である。イワシの頭も信心から、というではないか。良いも悪いもない。有り難いと感じることが大事だろう。

しかし、そこはやはり凡人のかなしさ、見てくれの好き嫌いはおのずとある。私のごひいきは、役小角《えんのおづぬ》像である。俗に役行者《えんのぎょうじゃ》と呼ばれる異相の像だ。どこかアヤしい雰囲気《ふんいき》を漂わせていらっしゃるところがいい。

はじめてお目にかかったのは、大和《やまと》の当麻寺《たいまでら》だったと思う。倉庫のような暗いお堂の片隅に、ほこりをかぶって不機嫌そうに坐《すわ》っていらした。

そのころはどうも役行者という存在が、世間に認知されていなかったのではあるまいか。いわば不遇時代である。

やがて陰陽師《おんみようじ》ブームや、そのほかさまざまの動きがあって、役行者さんに人気がでてくることになる。

「役行者まつり」みたいな催しも企画される。古代の超能力者として、子供の雑誌にまで登場するようになってきた。

昨年、ひさびさに訪れた当麻寺では、ずいぶん待遇がよくなって、すこぶる堂々とした印象だった。

いまや全国各地の寺々で役行者さんにお目にかかることが多いが、こころなしかどの像もはればれとした顔をなさっている。

しかし修験道《しゅげんどう》の祖、といった感じでたてまつられるのは、あまりお好きではなさそうだ。あくまで古代のトリックスターが似合う行者さんなのである。

魅力的ということでいえば、鶴林寺《かくりんじ》のアイタタ観音《かんのん》さんだろう。

アイタタ観音などと気やすく呼ぶのは気がひける。兵庫県加古川《かこがわ》市にある天台《てんだい》宗《しゅう》の古寺、鶴林寺でお会いした有名な聖観音立像《しょうかんのんりゅうぞう》である。

白鳳期《はくほうき》の金銅仏《こんどうぶつ》を代表する逸品、などと書けば、ガイドブックのコピーみたいだが、この聖観音像がなんともいえず魅力的だった。

失礼ないいかたかもしれないけれども、まずボディーの曲線がじつにいい。ことに横から拝見すると、ため息がでる。腰のあたりを少しスウェイさせたように微妙に曲げていらっしゃるところに、つい目がいってしまう。

じつは、この観音さんにまつわるおもしろい話があって、そこからアイタタ観音というふしぎな呼びかたが生まれたらしい。

あるとき寺に泥棒がはいって、この像を盗みだした。純金だとでも思ったのだろうか、彼は火にかけて溶かそうとした。ところがいっこうに溶けない。

腹をたてた泥棒は、観音さんの体を思いきりハンマーでなぐりつけた。ちょうど腰のあたりである。

すると、「アイタタ!」と声がした。もう一度たたくと、また「アイタタ!」の声。驚いた泥棒は改心して、寺に仏像を返しにきたという。

ハンマーでたたかれた腰のあたりが、かすかにかしいでいるところが、なんとも有り難い。

男の更年期あれこれ

ずいぶん昔のことになるが、あるお医者さんと共通の友人の話をしていて、

「彼はいま男の更年期らしくて、あまり調子がよくないんですよ」

と、言ったら、即座に、

「男に更年期などありません」

と、叱《しか》られた。

「いや、ありますよ。現にぼくもそうだったもの」

「ないといったら、ない。医学部じゃそういうことは教わらなかった」

お互いむすっとして別れたが、すこぶる後味がよくなかった。

いろいろ考えてみたのだが、そのドクターはいったいなにを根拠にあれほど断

定的だったのだろう。

べつに彼が男性の更年期について専門的な研究をしたとは聞いていない。めちゃくちゃ繁盛《はんじょう》している開業医なので、プライベートな時間がまったくなく、ゴルフもカラオケも知らないという仕事一筋《ひとすじ》の誠実な先生である。

親切で人柄もよく、患者の身になって治療してくれると大評判。そのためお店、じゃなかった、医院のほうは押すな押すなの長蛇《ちょうだ》の列で、昼食もろくにとれない忙しさらしい。

ふと罰《ばち》あたりなことを考えるのだが、そんなに忙しいと、新しい医学の理論や、つぎつぎに開発される医療技術などを勉強する余裕など、まったくないのではあるまいか。

なにしろ現代の医学や医療は、日進月歩どころの話ではない。秒進分歩といっていいくらいの激進《げきしん》ぶり。

素人《しろうと》が眺めていても、きのうは良いとされていたことが、きょうは悪い、おととい新しかったことが、あすは古いといった有為転変《ういてんぺん》の業界である。

こっちの病院ではやってないことを、あっちの病院ではやっている、あっちの医師が力説することを、こっちのドクターは鼻でせせら笑う、まるで当たるも八《はっ》卦《け》、当たらぬも八卦、といった感じなのだ。

こういう時代こそ、じかに患者と接する良心的な開業医には、寸暇《すんか》をおしんで外国の文献を読み、学会などにもまめに参加して、勉強していただきたいと思うのが人情だろう。

しかし、ゴルフも、麻雀《マージャン》も、カラオケも、キャバクラも、まったく縁がないほど献身的に治療に忙殺されている先生に、はたしてそんなことが要求できるものだろうか。

わが身をふり返ってみても、たかが連載の二、三本かかえて、あとは山寺《やまでら》を回るくらいのライター稼業であるのに、忙しさにかまけて、近年はゴルフ、麻雀、カラオケ、キャバクラはもとより、まともな古典一冊、目を通すことなく毎日が飛ぶように過ぎていく。

とてもじゃないが人気のあるお医者さまに、もっと勉強してくださいなどとは、口が曲がっても言えない。

おそらく男に更年期などはないと断言されたドクターも、学生のころ教室で教えられた理論を、これまで一筋に守ってこられた律義《りちぎ》な医師なのではあるまいか。医学の理論がどうあろうと、男にも更年期はあると私は思う。オシッコの切れも悪くなるし、視力も落ちてくる。そのほか、あげればきりがない。

口にだして言うのははばかられるが、私自身、四十代後半から五十代半ばにかけて、明確に更年期症状の自覚があったのだ。それは単なる老化とはちがう不安定な感覚である。

最近は男性の更年期を認める医学者も、ぼちぼちでてきたらしい。

まあ、それが認められたところで、オシッコに勢いがもどるわけではないから、本当はどうでもいいことなのだ。年をとればとったで、人はそれなりに暮らしていくものなのだから。

声明とフラメンコのご縁

先日、ひさしぶりに長嶺《ながみね》ヤス子さんとステージでご一緒した。

大津《おおつ》で催した論楽会《ろんがくかい》に、第二部のゲストとして参加してくれたのである。

会場はびわ湖ホール。

ここは定員厳守で有名なホールだ。定員オーバーの立ち見は絶対にダメ、ということで、整理券の調整が大変だった。

論楽会、というのは、もう三十年ちかく私が主催してやってきているステージである。論あり、楽あり、パフォーマンスあり、という、まあ五目チャーハンみたいな会と思っていただければよい。

一時間ほど私がしゃべって、あとの第二部、第三部は、ほとんど即興で進行する。いろんなゲストが参加してくれて、その場その時、なにがおこるかわからないというのが、論楽会のミソである。

この、ミソという言葉のつかいかたも、最近はあまり通じなくなった。先日も雑文のなかで「ナニナニがミソである」と書いたら、「ミソ、ってなんですか?」ときかれた。

「まあ、なんというか、ひそかに自慢に思っている点とか、ユニークなところ、とか、そんな感じかな」

「ああ、ミソもクソも一緒、とかいうあれ?」

「ぜんぜんちがう。手前《てまえ》ミソとか、いうじゃないか」

「知りませーん」

まあ、言葉は生きものである。私も若いころは先輩諸氏をずいぶん悩ませたものだった。

とにかく論楽会では、いろんなハプニングがおこる。その結果、終演時間が大幅におくれたりする。

立派な会場では、時間厳守がモットーである。一部、二部、三部と、きまった時間の枠のなかで舞台を進行させるのが私の役だ。

長嶺ヤス子さんは論楽会の常連として、もう何十年も手伝っていただいているが、それでも毎回、相手をつとめていて緊張するのは、長嶺さんが骨の髄まで真剣勝負のアーティストだからである。

大津での会では、特に時間が心配だった。今回は私のたっての希望で、フラメンコを踊ってもらうことになっていたからだ。

もちろん長嶺ヤス子さんは、フラメンコの踊り手として一世を風靡《ふうび》した鬼才である。しかし、彼女はいつのころからか靴をぬいで、裸足《はだし》で踊りはじめた。

サンバを踊り、ロルカをアフロのリズムで踊り、「道成寺《どうじょうじ》」を踊り、「オルフェ」を踊る。そんな長嶺さんの挑戦を、私は以前、「長征《ちょうせい》」と呼んだことがある。

その長嶺さんに、ふたたび靴をはいて以前のようにフラメンコを踊ってくれませんか、と頼むのは勇気のいることだった。

しかしその夜、長嶺さんは靴をはいてステージにあらわれた。

「二十年ぶりだわ」

と、長嶺さんは言い、初対面のギタリストと即興で二曲踊ってくれた。観客の反応はびっくりするほど熱烈で、びわ湖ホールが揺れるようだった。

「ほんとは私、お坊さんたちの声明《しょうみょう》で踊るときが、いちばん気持ちがいいんです」

と、長嶺さんは言う。何年か前、大勢のお坊さんたちとともに、ニューヨークへいき、声明で踊ったときの話は私も知っていた。

声明はインドに発するアジアの聖歌である。バラモン教から仏教へ、インドから中国へと伝わり、日本へは奈良時代に仏教とともに伝えられた。平安時代に空海が真言《しんごん》声明を、慈覚大師《じかくだいし》円仁《えんにん》が天台《てんだい》声明をもたらしたとされる。

フラメンコは、インド北西部からヨーロッパへ移動してきた放浪の民によって生みだされた芸能である。

裸足で声明を踊る長嶺さんは、本能的に両者のルーツを探《さぐ》り当てているのではあるまいか。

ホラ、処女の金魚がさア

きょうは東京駅の向かい側に新しくできたオアゾというビルに、はじめていってきた。

ふだんは八重洲口《やえすぐち》側を使うことが多い。八重洲ブックセンターもあるし、気軽なパスタ屋さんなどもあって、なんとなく親しみやすい感じなのだ。

オアゾは八重洲口の反対側の、丸の内口の目の前にある。いつも東北新幹線で東京へつくたびに、いったい何ができるのだろうと気になっていたのだ。それがオアゾだった。

東京駅は南北に長い。その丸の内北口に突然出現した最新のビルがオアゾである。正式には「丸の内OAZO」と称するのだそうだ。

ビルの名前というのは難しい。新丸ビル、というと子犬にポチと名前をつけたような感じがする。六本木ヒルズとなると、愛犬をジョンと呼ぶのと似ている。それにくらべると、オアゾというのは、ちょっと屈折した気配がないでもない。なんでもエスペラント語で「オアシス」の意味だと聞いた。

私がもしこのビルのオーナーだとしたら、なんと命名するだろう、なーんて、バカげた空想をした。

東京は日本のへソである。そして丸の内は東京のへソである。だったらそこにそびえる最新ビルには「ＯＨＥＳＯ」がふさわしくないだろうか。

などと考えながらオへソ、じゃない、ピカピカのオアゾに足をふみ入れた。

このビルの一階から四階までが本屋さんの丸善《まるぜん》である。めちゃめちゃ広い売り場に目を点にしながら、四階にあるモダンなギャラリーにおそるおそる顔をだした。

この丸善・丸の内本店の画廊で、いましも私のアイカタ、じゃなかった、ツレアイの五木玲子《れいこ》の版画展が開催中だったのだ。

　この個展は、彼女と太田治子《はるこ》さんのコラボレーションである画文集『風の見た夢』（講談社）の刊行記念の催しである。きたる十一月十七日には、ご両人のサイン会もあるという。夫としてはサクラになって並ぶべきなのかも。

　私が若くてビンボーだったころは、私のほうが威張っていた。敵はすでに医者だったから、無名作家の私より収入が安定していたのだ。

　夫婦は、収入の少ないほうが威張る。多いほうが威張るようではだめである。いまは私のほうがベテラン作家で収入が多いから、下手《したて》にでなければならない。なんたってアーティストは、無名でビンボーであることが最大の強味《つよみ》だろう。

『風の見た夢』は、彼女の第二画文集で、最初の『花の見た夢』と同じく、太田治子さんとの共作である。

　私は太田治子さんが大好きだ。こんなに端正な文章を書く人が、こんなにおもしろいというのはどういうことだろう。

　治子さんは太宰治《だざいおさむ》の娘さんだが、お母上はたしか九州がルーツのはずである。その血を引くせいか、太田さんは突発的によくしゃべる。それでいて、ふだんはじつに含羞《がんしゅう》の人であるから、そこがおもしろい。

以前、冬の札幌《さっぽろ》で三上寛《みかみかん》さんが酒に酔って金魚の話をしたことがあった。

「ホラ、処女の金魚がさア――」

と、身ぶり手ぶりで話しだしたとたんに、治子さんがまっ赤になった。

「あ、太田さんが金魚になった！」

と、三上さんが大声で叫んだことを、冬になるといつも懐かしく思いだす。

名前は消えても歌は残る

先日、ある女性歌手と話をしていたら、突然、

「わたし、演歌っていう言葉が嫌いなんです」

とおっしゃった。その言葉の調子に、なにやら抗議するような雰囲気《ふんいき》があった。

「あ、そう。ぼくもあんまり好きじゃない」

と応じたら、意外そうな顔で、

「でも、演歌って言葉を世間にひろめたのは、イツキさんだって聞きましたけど」

「だれがそんなこと言ったんだい」

「業界の関係者の人です」

「ふーん」

「わたし、演歌とか、演歌歌手とかっていわれるのが好きじゃなくって」

「なんとなくわかるけど、でも、いいかげんなことを言う連中がいるもんだな」

「なにがですか」

「演歌はぼくのひろめた言葉じゃないよ。ぼくが書いたのは『艶歌《えんか》』という小説だ。それをもじって、怨歌《えんか》、という言葉をはやらせたことはあるけど」

「じゃあ、演歌というのはイツキさんの発案じゃないんですね」

「当たり前だ。そもそもは明治のころに――」

「難しい話はやめましょ」

と、途中で話の腰を折られてしまった。もう少し講釈をさせてもらいたかったのだが、最近の人は理論的な話が嫌いである。そういう物事の起源とか沿革だとかいうことは、けっこう大事なことのような気がするのだが、いまどきははやらない。ヘェー、とか、ガッテン！　とか、みんなで楽しむにはトリビアなエピソードぐらいでちょうどいいらしい。

演歌は、明治のころ自由民権運動に奔走《ほんそう》した壮士《そうし》たちが、演説で主張するメッセージを歌に託して大衆に伝えようとした街宣活動にはじまる。

最初は路上ライブのように、街角で大声を張りあげてガナっていたのが、やがてプロ化していき、バイオリンを弾いて歌をうたい、歌詞カードを売る専門家もでてくるわけだ。

最初のうちは、政治や世相を批判・風刺《ふうし》する歌だったが、しだいに情緒的に変わっていき、それを職業とする人びとが、演歌師と呼ばれるようになってきた。

そして演歌師によってうたわれ、ひろめられる歌が、もっぱら演歌と呼ばれるようになっていく。

やがて、伝統音楽である端唄《はうた》、小唄《こうた》、都々逸《どどいつ》、新内《しんない》、民謡などと習合《しゅうごう》し、さらに西洋音楽と混血して、一種独特の近代歌謡が成立する。

そのあたりまでくると本来のアジテーション、政論演説歌の骨格はしだいに失われていき、もっぱら男女の恋愛や人情の機微を、哀愁をおびた短調《マイナー》の曲想でうたいあげる世界が中心となった。

それはもう演歌ではない、というのが、六〇年代の私の意見だった。むしろ艶歌と呼んだほうがぴったりくるだろう。『艶歌』という小説が話題になったり、映画やテレビ化された時期には、この艶歌という名称がかなり一般に定着していたような気がする。

ビリー・ホリデイの歌も艶歌だ、という私の乱暴ないいかたも、意外にすんなりと受け入れられたものだった。デモにいく学生たちも、鶴田浩二《つるたこうじ》や藤圭子《ふじけいこ》などの歌を、しきりに口ずさんだ時代である。

私の感じでは、一時期のフォークゲリラ的な歌こそ正統的な演歌だったのだ。

いつからか古い演歌という言葉が再登場してきたのは、単なる音楽業界の利便からではあるまいか。ポップスに対して商品を区別するために用いられたのかもしれない。流行歌大好き人間である私から見ても、演歌という言葉の生命は、すでに終わってしまっていると思うのだが、どうだろう。

起《た》て！　更年期の男たちよ

男の更年期について、前のコラムでも触れた。

男に更年期などない、と主張する友人の医師と、体験的にある、と言い張る小生とのやりとりの話である。

もうずいぶん昔の出来事だったが、そのあと何年も、どこかお互いに釈然としない気持ちが漂っていたのは事実である。

先週、人に教えられて、『知恵蔵《ちえぞう》』という朝日現代用語事典のページをくってみた。二〇〇五年版だから、もっとも新しい用語集である。

「家庭の医学」

という章がある。京都府立医科大教授の今西二郎氏と、岐阜大学学長の黒木《くろき》登《と》志夫《しお》氏のお二人が担当しておられるページだ。

なるほど。そこにはっきりと、

「男性更年期」

という言葉がでているのでびっくりした。

なんだ、ちゃんとあるじゃないか、と、拍子《ひようし》抜けしたような感じ。

いい年をした大人が、あるのないのと大喧嘩《おおげんか》のあげく、むっつり不機嫌なまま別れたりしたことが阿呆《あほ》らしく思われてくる。どれどれ。

「男性ホルモンの低下で示される生化学的異常と、それに基づく症状・所見からなる症候群」

ふーむ。念のためその項目の解説をここに引き写しておこう。

「精神・心理症状、身体症状、性機能関連症状がある。精神・心理症状は、抑うつ、イライラ感、不安、神経過敏、無気力、疲労感など。身体症状は、ほてり、発汗、睡眠障害、記憶力・集中力低下など。性機能関連症状として勃起障害、性欲低下などがある。男性ホルモン補充療法などで効果のある場合がある。さらに、漢方、アロマセラピーなどのいわゆる補完・代替医療が効を奏することもある」

なるほど、という気持ちもあり、また、なーんだ、という感想もあった。

ここにあげられている症状は、どれも特別めあたらしいものではないからだ。念のために調べてみると、『イミダス』など同じタイプの用語集にも二〇〇五年度版からはでている。問題は、それ以前の二〇〇四年度版にはとりあげられていないことだろう。

要するに男性更年期という言葉は、新語として今年から晴れて常識の仲間入りをはたしたということらしい。

この男性更年期という概念が、『知恵蔵』や『イミダス』に採用されるようになるまでには、苦節十年、日の当たらぬ雌伏《しふく》の時代があったのだ。

男性更年期よ、おめでとう。サラリーマン諸君も、これから仕事をさぼりたいときには、堂々と「更年期障害による心身機能の低下のため」と宣言して休みをとればいいのである。

しかし、私の長年にわたる観察からすれば、この記述は必ずしも十分ではない。医学的に否定されようがどうしようが、私の意見では、男の更年期はもっと複雑怪奇である。こんなものじゃないのですぞ、先生。

一例をあげれば「性ホルモンの低下」だけではなく、異常亢進《こうしん》だってあるのだ。要するに急にスケベーになったりするのも更年期の症状である。男の更年期は、またセクハラの季節でもあるように思われる。

十年後には私のこの医学的予見が、ふたたび『知恵蔵』に収録されるかも。

原稿用紙に歴史あり

先日、宇治《うじ》の萬福寺《まんぷくじ》へいってきた。

黄檗山《おうばくさん》萬福寺。

隠元《いんげん》という中国の明《みん》の僧が建てた寺で、黄檗宗の本山である。

この寺の門を見たときには、びっくりした。中国の寺かと錯覚するくらいに異国ふうなのである。

隠元といえば、だれでも隠元豆を連想するだろう。江戸時代のはじめにわが国に渡来してきた隠元は、豆だけではなく、いろんなものを日本に持参した僧として知られている。煎茶《せんちゃ》もそうだし、孟宗《もうそう》のタケノコも隠元さんがもってきたという話だった。

もちろん中国福建《ふっけん》省黄檗山の禅の諸式もそうである。隠元は中国でも一流の僧だったから、日本へやってきたときの騒ぎは大変だったらしい。

一種の隠元ブームがおきて、幕府も丁重に隠元を遇した。宇治に十万坪という広大な寺領をあたえて、隠元の構想どおりの寺を建てさせたのである。

隠元はこの国に中国の黄檗山と同じ様式の寺をつくりたかったらしい。伽藍《がらん》のつくりにもチーク材などを使う。読経《どきょう》も中国語の発音でする。食事のメニューも本家黄檗山のスタイルをとった。

いま萬福寺が普茶《ふちゃ》料理で有名なのも、そのなごりである。要するに日本のなかの異国が宇治に出現したのだ。

鎖国の時代にもかかわらず、隠元が厚遇されたのは、日本人が根っから島人《しまびと》だからだろう。海外からの新しいもの、めずらしいものに関しては、子供のように目を輝かせてむらがり集まる人たちなのである。

すぐれた知識や教養はもちろん、さまざまなブランド品が持参され、人気を集めた。当時は隠元の名をつければ、なんでもブームになったらしい。

萬福寺で私がびっくりしたのは、宝蔵院《ほうぞういん》に収蔵されている一切経《いっさいきょう》（大蔵経《だいぞう》）の版木《はんぎ》の山だった。その数およそ六万枚という。

現在も職人さんが刷っている様子を見学させてもらったが、じつに美しく刷り上がる。その字体の線のシャープさが見事だった。

二十字詰め、二十行。

いま私がこの原稿を書いている四百字詰めの原稿用紙のかたちは、この版に由来するという。しかも字体が明朝体《みんちょうたい》である。

明朝体という書体は、ふつう明朝と呼ばれる。この本の字体もそうだ。明の時代に隠元がもってきた大蔵経の膨大《ぼうだい》な経典を、鉄眼《てつげん》という人が十三年もかけて覆《ふっ》刻《こく》したものが萬福寺に残されているのである。

鉄眼さんは肥後《ひご》熊本の出身らしいが、九州人にも粘りづよい人がいたものだと感心した。

その版木の字体を見ているうちに、四十年ちかく昔、「平凡パンチ」という週刊誌に「青年は荒野をめざす」という小説を連載したことを思いだした。

連載がスタートした後で、どうもタイトルの字のデザインが気に入らない。いったん嫌だと思うと、原稿もおくれがちで編集者もやきもきする。

そのときの編集担当が、のちに内向の世代の代表作家となった後藤明生《めいせい》さんだった。相談すると、宋朝体《そうちょうたい》に変えたらどうだろう、と言う。そしてすぐに宋朝体の文字を書かせたら当代随一というデザイナーを連れてきた。なるほどできあがった題字はとても素晴らしかった。

伊丹一三《いたみいちぞう》という人だったが、のちに伊丹十三《じゅうぞう》と改名して卓抜なエッセイスト、映像作家として活躍することになる。

萬福寺の明朝体の版木を眺めながら、ふとそんなことを思いだした一日だった。

せめて養生しなはれや

つい先ごろ、紀伊國屋《きのくにや》書店会長の松原治《まつばらおさむ》さんとお話をさせていただく機会があった。「週刊朝日」の最新号のための対談である。

松原さんは八十七歳である。私より十五歳も先輩だ。八十七歳といえば、強壮で知られた蓮如《れんによ》よりすでに三歳も年上ではないか。

しかも海外の紀伊國屋の何店もの支店を、気軽にひょいひょいと飛び回っておられるらしい。

私もよく人に、

「お元気ですね」

と言われる。しかし、あと十五年もたって外国へパッとでかける元気があるだろうかと考えてみると、いささか自信がない。

話は変わるが、私は車の運転免許をとってこのかた、幸運にも事故をおこさず、また事故にあうこともなく今日まで過ごしてきた。

その間、ずっと何十年も、なんとなく続けてきていることが一つある。

それは、タクシーや、ハイヤーや、その他のプロのドライバーの運転する車に長時間のせてもらうときに、それとなくいくつかの質問をさせていただくことである。

「これまで運転していてヒヤリとしたのは、どんなときですか」

というのが一つ。

もう一つは、

「こうして毎日運転してらっしゃって、いつも気をつけておられることはなんですか」

という質問だ。もちろん私より下手《へた》な運転をするドライバーに、そんなことをたずねたりはしない。勤続何十年、などというベテランの運転者に対してだけである。

すると、じつに興味ぶかい話を聞くことができて、車中で退屈するということがない。

なーるほど、と膝《ひざ》をたたくような話や、ほう、とびっくりするエピソードもでてくる。

なにしろ毎日毎日ハンドルをにぎって、人生の長い歳月を過ごしてきた人たちだ。運転の技術というレベルの話ではなくて、生きる上での知恵といった感じのエピソードに出会うこともしばしばだった。

いつかまたあらためてその話はご披露しようと思うのだが、とりあえずそんな車内の雑談に学んだことは、私の安全運転生活の上でじつに大きい。

体験者に学ぶ、というのが私流の生きる実技の一つである。

松原さんとの対話は、仕事ではあるが、私にとっては寺子屋のようなものだった。いろいろぶしつけな質問もし、率直な体験談もうかがうことができた。八十七歳で現役、というのは、だれにとっても見果てぬ夢の一つではあるまいか。

松原さんのお話から学んだものは、三つある。

一つは、仕事を続ける、ということ。もう一つは、「おかげさまで」という感謝の念を忘れないこと。最後は、常に体に気をくばる、ということだ。

いつぞや『養生の実技《ようじょう》』という本をだした。

その内容は荒唐無稽《こうとうむけい》だが、いわんとするところは右の三つにつきる。白隠禅師《はくいんぜんじ》から貝原益軒《かいばらえきけん》、野口晴哉《はるちか》まで、すべての養生論のゆきつくところは、そのあたりであるらしい。

かつて腱鞘炎《けんしょうえん》と、片頭痛《へんずつう》と、腰痛に悩み、死んだら「腱鞘院片頭腰痛大居士《けんしょういんへんとうようつうだいこじ》」とでも名乗ろうかと考えた私が、目下なんとか仕事を続けていられるのも、ひそかにその三つを心がけてきたからではないかと思う。

こたつで孫の相手をする隠居生活も悪くないが、私は八十すぎても毎日畑にでて土いじりをするような暮らし方が夢だ。私の畑はマスコミの荒野である。

百寺の旅も、ようやく九十寺をこえた。まったく「おかげさまで」の日々であります。

シンリンタローの墓

昔は笑い話になったことが、最近ではだれも笑わないことがよくある。

字の読みかたに関してのまちがいなど、ほとんど笑い話としては成立しないようだ。

そもそも読みちがいがおこるような字がいけないのだ、というような顔をされることも多い。

カタカナ表記やローマ字が目立つようになったのも、そのせいだろう。

萩《はぎ》市へいったとき松陰神社の前で、

「ここがマツカゲ神社よ」

と大声でしゃべっている中年のご婦人がたがいらした。

「これはショウイン神社です」

と、余計なお節介《せっかい》をやきそうになるのを、かろうじてこらえて通りすぎる。

「どっちだっていいでしょ」

と、にらまれそうな気がしたのだ。吉田松陰先生も、どこかで苦笑なさってお
られることだろう。

しかし、読みまちがいは、そんなことを言っている当方にもしばしばある。

先日も長崎の崇福寺で、

「スウフクジ」

と読んだら、

「ソウフクジ、です」

と、たちどころに直されてしまった。

他人のことを笑っている場合ではない。

しかし、萩から津和野《つわの》へ回って、森鷗外《おうがい》先生の墓をたずねたときはおかしかっ
た。

若いスタッフの一人が、

「森林太郎墓」

と書かれている墓石を眺めて、

「シンリンタローの墓か」

と、つぶやいたのだ。なるほど、そういえばそうも読める。鷗外の本名が林太《りんた》郎《ろう》であることなど、いまではすでに常識の外にあるのだろう。

それからというもの、書店で鷗外の名前を見ると、つい「シンリンタローか」と、つぶやいてしまいそうになって困った。

先日、京都の法然院《ほうねんいん》のご住職にうかがった話で、思わず笑ってしまった挿話があった。

「イツキさんの本を読んだという大学生がいましてね」

「ほう。いまどき奇特な学生さんじゃないですか」

「で、何を読んだのかとたずねましたら――」

「ふむ、ふむ」

「タリョクを読んだと答えました」

「タリョク？」

はて、そんな題名の本を書いたことがあったっけ、と、しばし考える。四十年ちかくも物を書いていると、自分が書いた本のことも忘れることがないではない。

「はて、タリョク、ねえ」

首をひねる私を見て、ご住職は笑いをこらえつつ、

「思いあたりませんか」

一瞬、他力、という文字が頭をよぎった。

「わかりました。『他力《たりき》』のことでしょ」

「まあ、火力《かりよく》発電、水力《すいりよく》発電などといいますしね」

「でも、その大学生だって、人力車をジンリョクシャなんて読むかなあ」

「案外、読むかもしれませんよ」

考えてみれば、努力《どりよく》、という言葉もある。

悪貨は良貨を駆逐《くちく》する。変わった読みかたは妙に頭に刻みこまれて、なかなか

はなれない。

そのうち、どこかでしゃべっていて、つい「タリョク」と言ってしまいそうだ。

長崎では二つの唐寺《とうでら》を訪れた。最初にうかがった興福寺《こうふくじ》で、「大雄宝殿」を「ダイユウホウデン」と読んだら、「ダイオウホウデン」と読みます、と直された。翌日、今度は崇福寺《そうふくじ》で「ダイオウホウデン」と読んだら、「当寺ではダイユウと読んでおります」と教えられた。

この調子では、たぶん一生かかっても正しい字の読みかたなどマスターできないだろう。嗚呼《ああ》。

信長を許さぬ人びと

いろんな町に住み、いろんな土地を旅してきた。

そんな暮らしを何十年も続けていると、物の見かたが少しずつ変わってくる。世間一般の常識とはちがった感じで世の中が見えてくるのだ。一種の違和感とでもいおうか。

ところが東京中心のジャーナリズムには、その違和感がない。日本全国みんな一定の物の見かたをしているように思いこんでいるふしがある。

ときどき自分だけが孤立しているように感じられることがあって、なんとなく心配になってきたりするのである。

たとえば、織田信長《おだのぶなが》という人物は、だれでもが英雄視していると決めこんでいるような気配がある。

信長はたしかにユニークな人物だった。私も凄《すご》い男がいたもんだなあ、と、つくづく感嘆するときがある。

先見性があり、しかも洞察力にたけていた。動物的な勘、というのではなく、論理的な思考がじつに鋭かった。くわえて人心の機微を見抜く目ももっていた。

いちいち例をあげて説明すると、きりがない。一つだけあげると、政治と宗教の関係を、彼ほど深く見抜いていた武将はまれだろう。比叡山《ひえいざん》の焼き打ちにしても、一向衆《いっこうしゅう》の弾圧にしても、おそらく考えに考え抜いた上での大胆な賭《か》けだったにちがいない。

そういうわけで、日本人はみな信長を尊敬し、信長のことが好きだと思いこんでいるマスコミ人たちが結構おおい。

しかし、私が日本各地で出会った人たちのなかには、

「信長許《ゆる》すまじ」

と、平成のいまでも眉《まゆ》をつりあげ、言葉が激する人びとが少なくなかった。い

や、むしろ末代まで信長を憎みつづけると公言する人たちがたくさんいたのだ。

北陸、東海、近畿《きんき》、中国地方など、ことにその傾向がつよかったように思う。瀬戸内《せとうち》の島々の人びとのなかには、信長勢と戦う一向衆の応援に水軍としてはせ参じた船の民の末裔《まつえい》があちこちにいて、ご先祖の船乗りたちがいかに水上戦で信長軍を翻弄《ほんろう》したかを、きのうのことのように唾《つば》をとばして語ってくれた。

以前、和歌山の田辺《たなべ》のお寺で、古典的な説経《せっきょう》を聞かせていただいたことがある。

説経とは、長い歴史と伝統をもつ宗教的な芸で、いわゆる「お説教」ではない。芸、というと叱《しか》られそうだが、芸能としても通用する大衆的な法話のスタイルは、その後の日本の芸能にも大きな影響をおよぼした。浪曲《ろうきょく》など説経から育った芸も少なくない。

説経師の語りがクライマックスにさしかかると、聴衆のあいだから、沛然《はいぜん》と「ナマンダブ、ナマンダブ」の声が湧《わ》きおこる。俗に「受け念仏」というらしい。歌舞伎《かぶき》でいうなら客席からの掛け声にも似たその念仏の声に勢いづけられて、語る側の声色《こわいろ》もさらにヒートアップしてくる。

両者の掛け合いとともに場内の雰囲気《ふんいき》はいやが上にももりあがって、深い法悦《ほうえつ》に人びとは酔いしれるのだ。

イランのキャバレー（男ばかりの店）でも、古代の偉人の殉教《じゅんきょう》を語る詩人の熱演が、客席からの声と一体になってもりあがっていくのを聴いたことがあった。

そんな光景を体験した後、土地の人から口々に、

「信長許すまじ」

の言葉を聞いた。これは実感があった。

英雄というものは、古来、たくさんの人びとを殺すものである。歴史では、「どこどこの国を攻め」とか、「どこどこを支配下におき」などと簡単に書くが、そこで殺された者たちの子孫は長くそのことを忘れない。

日本人も、なかなか執念《しゅうねん》ぶかい民族である。それをこそ、本当の歴史というのではあるまいか。

作詩と作詞のあいだには

二十代のころ、CMソングの歌詞を書いていた時期がある。

当時の売れっ子は、野坂昭如《あきゆき》、吉岡治《おさむ》といった人たちで、作曲家のほうでは越《こし》部《べ》信義《のぶよし》、桜井順《じゅん》などの皆さんがたがスターだった。

桜井順さんはのちに、野坂昭如の絶唱「黒の舟唄《ふなうた》」や「マリリン・モンロー・ノー・リターン」などの曲を書いた作曲家である。

越部信義さんとは、ずいぶんご一緒に仕事をしたが、やがて「上海《シャンハイ》バンスキング」で大ブレークすることとなる。

童謡やCMソングの作詞をしていた吉岡治さんが、後年、「大阪しぐれ」や「天城《あまぎ》越え」などの大ヒット曲を連発するスター作詞家になろうとは、正直言って予想していなかった。

当時の吉岡さんは、文学青年ふうの痩《や》せた若者で、いかにもサトウ・ハチローの弟子《でし》らしいシャイな童謡詩人だったからである。

私はそういう人たちの脇《わき》のほうで、テレビやラジオの台本などを書きながら、地味な詞ばかりを作っていた。あるとき日本石油の応援歌を書く注文がきた。日本石油といっても、会社本体ではない。当時すこぶる人気のあった実業団野球の、日石チームの応援歌である。

話によれば、なんでもこれまでのサトウ・ハチロー作詞の応援歌が、格調が高すぎてどうも気勢があがらない。

そこでひとつCMソング調の調子のいいやつを新しく作ろうじゃないか、ということになったらしいのだ。

そこで早速、「GO　GO　日石」という歌を書いた。どんな文句だったか作った本人が忘れてしまっているのだから、無責任なものである。

ところが、その新しい応援歌が採用された年の都市対抗の大会で、日石チームが優勝したのだ。

その後、「日石灯油の歌」など、いくつか日本石油の仕事が舞い込んできたのは、たぶんそのご縁だったのだろう。

「そのころどんなCMソングを書いていたんですか?」

と、インタビューなどできかれて、「日石灯油の歌」のことを言うと、

「ああ、あの、ホッカホカとかいうやつね」

と相手が笑うので、とたんに、あまり偉そうな話はできなくなってしまう。

この時代、私たちはCMソングのことを「ジングル」といっていた。そして自分たちを「ヴァースライター」と称していた。とても新しい世界で働いているような気分だったのだ。コピーライターなどという言葉が登場してくるのは、それからずっと後である。

CMソングの作詞は、ほとんど著作権買い取りの仕事だったから、名前は残らない。

やがてレコード会社の仕事をするようになる。歌の文句を書いて、「作詞」と

おそるおそるつけ加えると、「作詩」に直された。なんだか、「詞」より「詩」のほうが偉いようなイメージがあったらしい。

「詩」と「詞」はちがう、という話を、前に中村とうようさんが書いていて、私も同感だった。「詩」は言葉だけで完結したもの、「詞」は曲を想定して書く言葉、と分けて考えていたのである。

昔の中国には塡詞《てんし》という優雅な遊びがあったらしい。「塡」は埋めること。損失補塡《ほてん》の塡だ。ひとつのメロディーに合わせて、その曲調にぴったりの詩文を工夫する試みである。「詩余《しよ》」の詩ともいう。

いまの業界用語でいう、「曲先《きよくせん》」「メロ先」のことと考えればよい。

私はいまでもときどき歌の文句を書いたりするが、そんなわけで、ずっと「作詞」という字を使ってきた。べつにこだわることもないとは思うのだが。

白隠　益軒　岡田虎二郎

『養生《ようじょう》の実技』という新書判の本をだして以来、いろんな場所で、いろんな人に、

「本当ですか」

と、きかれる。私がその本に書いたことは本当のことか、という質問である。

「本当です」

と答えると、だれもが呆《あき》れたような顔で、私のことをジロジロ眺める。まるで点検するかのような目つきである。

「それで、その、なんともありませんか」

「なんとも、って？」

「つまり、体調がおかしくなったとか、そういうことはないんですかね」

「べつに、なんともないですよ」

この辺までくると、相手がなにをききたがっているのかが、ほぼ見当がつく。私が日ごろ自分の養生法として実践していることのなかには、かなり非常識な方法がおおい。医学的、科学的な立場からすると、トンデモナイ提案が頻出《ひんしゅつ》しているようである。

しかし、どんなにそれがまちがっていると指摘されても、私は自分のやりかたを変える気はない。

いろいろと自分の体でためしてみて、その結果、自分で編みだした実技なのだから、自分で責任をとればいいだけの話だ。

当然のことながら、それを人にすすめる気は毛頭ない。なるほど、そんな変なことをやって面白がってる奴《やつ》がいるのか、と、笑ってもらえば十分である。

相馬《そうま》黒光《こっこう》といえば、夫とともに新宿の中村屋をおこした人だが、大正・昭和の時代を奔放《ほんぽう》に生き抜いた自由人としても、まことにユニークな女性だった。著書『黙移《もくい》』は、その足跡をいきいきと描いた自伝である。

中村屋でイーフーメンを食べるのが最大の贅沢《ぜいたく》だった大学生のころ、レストランの壁にロシアの詩人エロシェンコの肖像画がかかっているのをふしぎに思っていた。後年、『黙移』を読んで、その辺の事情がよくわかった。

この相馬黒光さんは、戦前、一世を風靡《ふうび》した岡田式静坐《せいざ》法の熱烈な信奉者だったらしい。

岡田式静坐法というのは、岡田虎二郎《とらじろう》という人物が提唱した呼吸法である。当時の知識人たちのあいだにも、岡田式静坐法は大流行した。黒光さんも十年以上一日も欠かさずに岡田式を実践していたという。

ところが、このカリスマ的存在だった岡田虎二郎が、突如、急死する。四十八歳の若さだった。

彼の死が信奉者たちにあたえたショックは、相当なものだったらしい。相馬黒光もその日以来、パッタリこの呼吸法をやめたというゴシップが伝わっている。

その気持ちは、私にもわからぬでもない。白隠禅師《はくいんぜんじ》の健康法や、貝原益軒《かいばらえきけん》先生の養生訓が説得力をもつのは、お二人とも八十数歳まで元気に生き抜いた実績がものをいっているのだろう。

しかし、すぐれた養生法の提唱者が、必ずしも長命でなければならないとは、私は思わない。黒光さんは、いささかはやまったような気がする。

すぐれた養生法の提唱者が短命であっても、いっこうにかまわないではないか。長寿と長命とはちがう。

岡田虎二郎が、その四十八年の生涯を、ほかの人の何倍も濃密に生きたとすれば、それは相当な長寿であると言っていい。長命で長寿が夢だが、世の中はそうはうまくいくまい。

中尊寺《ちゅうそんじ》へいく前夜にでかかった腰痛は、その後なんとか治まって今日にいたっている。

頭も、体も、手も、できるだけ洗わない。食べものは嚙《か》みすぎないようにつとめる。朝の六時ごろに眠りにつき、ストレスを山のように引き受けて日を過ごす。

こうして百寺の旅も、あと残すところ四寺となった。

寒がりません喝までは

今月のはじめ、久留米《くるめ》の梅林寺《ばいりんじ》へうかがった。

梅林寺は禅宗《ぜんしゅう》の寺である。臨済宗《りんざい》妙心寺《みょうしんじ》派に属するが、雲水《うんすい》たちの修行の厳しさでも知られる寺だ。

久留米、といえば読者の皆さんがたは何を連想されるだろうか。年輩の人なら、久留米絣《がすり》、とすんなり答えが返ってきそうである。私も小学校のころ、井上伝《いのうえでん》、という久留米絣の創始者の名前を教えられた記憶がある。

戦後世代なら、ブリヂストンだろう。オーナーの石橋家の姓の英語訳をひっくり返した社名だというが本当だろうか。

などと懐疑的になるのには訳がある。

以前、身延山《みのぶさん》の久遠寺《くおんじ》を訪れたとき、ケーブルカーの駅の売店で、人形のついたキーホルダーを物色していたら、店の人が親切にこう教えてくれたのだ。

「この棚はみーんなサンリオの商品ですが、イツキさん、サンリオという社名の由来をご存知《ぞんじ》ですか？」

「いや、知りません」

「サンリオはそもそもこの山梨県がルーツなんですよ。それで、社名をつけるときに山梨一番の企業に育てたいというんで、山梨王《さんりおう》、サンリオ、と」

「山梨の王様でサンリオかあ。ふーん、はじめて知りました。駄洒落《だじゃれ》みたいだけどおもしろい」

「いまは世界のサンリオです」

と、その売店の人が胸を張る。てっきり本当の話だと信じこんでしまった。

ところが、先日、テレビの番組を見ていたら、この話題がとりあげられていて、その山梨王という発想は、マッカな嘘《うそ》だというではないか。サンリオの会社の人まででてきて否定していたのだから、これは地元の人に見事にかつがれたわけである。

いや、かつがれたのか、それともご当人は本当にそう信じていて、来る客ごとにその話を紹介しているのか、どちらとも判断がつかない。

そんなわけで、自分のウロおぼえの知識には、目下、まったく自信をもてなくなっているのだ。

話がそれたが、最近の人なら久留米と聞けば、井上伝より、松田聖子や藤井フミヤの名前が浮かぶかもしれない。

いや、ホークス球団を買った孫正義《そんまさよし》、ライブドアの堀江《ほりえ》貴文《たかふみ》といった名前のほうが久留米ブランドとしては新しいかも。

私は久留米に近い八女《やめ》地方の出身である。近いといっても昔は遠かった。私が中学生のころ、熊本県寄りの筑後《ちくご》の一角にある八女からは三井《みい》電車というローカル色豊かな電車で、ゴットンゴットンといくつも山坂をこえてたどりつく憧《あこが》れの大都会だったのである。

そんなわけで、久留米にある梅林寺というお寺のことも、恥ずかしながら、私はほとんど知らなかった。訪れたのも、今度がはじめてである。

その日は九州に思いがけない大雪が降った。しんしんと寒気の迫る禅寺《ぜんでら》の冷えかたは尋常ではない。いまにも卒倒しそうな寒さである。ホカロンを両手ににぎりしめて震えながら外を見ていると、不意にザッザッという力強い足音がきこえてきた。

黒い笠《かさ》に黒い合羽《カッパ》をまとった雲水たちの一行が托鉢《たくはつ》からもどってきたのである。素足に草履《ぞうり》の足どりには、一糸の乱れもない。降りしきる雪のなか、それはなんともいえず凜《りん》とした美しい光景だった。

喝《かっ》！　という声が頭の奥に響いたような気がした。この何十年かのあいだ、これほどの身の引き締まる思いをあじわったことはない。こういう世界がいまのこの国にもあるのだな、と、感動した一瞬だった。

筑後久留米の梅林寺。いい寺である。

われ愛欲の広海に沈没し

親鸞《しんらん》のことを小説に書いてみようと思い立ってから、すでに十年以上の歳月が過ぎている。

資料を読むだけでは、小説は書けない。

実際に親鸞が見た山のすがたや海の景色をこの目で見てこそ、イメージが鮮明に浮かんでくるのだ。

空気の冷たさや、湿度や、地方の人びとの言葉の訛《なま》りなども、実際に体験してみる必要がある。

そう思って、この十年以上、できるだけ親鸞と縁のあった土地を歩くことにしてきた。京都、奈良地方はもちろん、上越地方や関東の各地など、常にその足跡を頭において旅をしてきたのだ。彼が越後《えちご》に流されたときに、たどったであろうルートを回ったりもした。

それでも親鸞という人はわからない。あまりに巨大すぎて、私たち凡人の視野からは、はみだしてしまう部分があるのだ。

深い海底から、一瞬だけ鋭い尾びれが水面に浮かぶ。その水中の姿を想像するいとまもなく、巨大な尾びれは波間に没する。

こういう人を小説に書こうなどということが、すでに無謀な試みなのかもしれない。それに小説というものは、赤裸々《せきらら》な人間の営みを包み隠さず描いてこそ物語として成立する。そこにはタブーなどあっていいわけがない。

しかし、極端な例をあげれば、仮に私が親鸞を主人公として新聞に連載小説を書いたとき、あまりにも卑俗なたとえだが、主人公のベッドシーンなど描けるものだろうか。親鸞自身がみずから深く恥じた内なる悪の姿など、はたして文章で表現できるか。

また、親鸞と妻の恵信尼《えしんに》の関係を、男と女の姿として書くことなど可能だろうか。

私は親鸞がみずから述べている「愛欲の広海に沈没《ちんもつ》し、名利《みようり》の大山《たいせん》に迷惑し」という言葉を、単なるレトリックだとは思わない。その言葉を、徹底して自己の悪をみつめる過剰なまでの自己批判というふうにも考えないのだ。

言葉どおりに、親鸞も実際に「愛欲の広海」に溺《おぼ》れたこともあるのだろう、と受けとめている。「名利」に心を動かす一瞬もあったにちがいないと想像する。

しかし、それがどのようなものだったかは、手さぐりで進んでも、どうしても確かめるすべがない。

「蓮如《れんによ》を小説に書こうと思う作家など一人もいないだろう」

と、いうような意味のことを言ったのは、高名な歴史家である。

しかし、反対に親鸞のことを書いてみたいと思う作家は、無数にいるはずだ。

私の先輩の小説家にも、それが夢だともらす人は少なからずいた。しかし、それは作家にとっては恐ろしい仕事である。にもかかわらず、倉田百三《くらたひやくぞう》、吉川英治、津本陽《つもとよう》、その他の作家たちがその仕事に挑み、それぞれの親鸞像を描いた。

倉田百三の『出家とその弟子《でし》』は、親鸞その人を専一に描いた作品ではない。しかも小説ではなく戯曲の形式をとっている。

『出家とその弟子』について、文壇の評価はおおむね高いとはいえない。

「大正期の青年に広く読まれた感傷的な宗教文学」

といった紹介もある。

しかし、いま岩波文庫と新潮文庫で読むことのできるこの作品の奥付《おくづけ》を見て、私は一驚した。大正五年に雑誌「生命の川」に発表されたこの戯曲は、文庫となって現在まで八十五刷《ずり》を数えている（新潮文庫）。

一方、先日、中野重治《しげはる》の『五勺《ごしやく》の酒』を読み返してみたいと書店を探したが、どうしても見当たらなかった。

ふりむけば日本海

こんどひさしぶりに、少し肩に力のはいった歌謡曲の歌詞を書いた。

「ふりむけば日本海」

というのがそのタイトルである。

「たかが歌謡曲」と思う一面、「されど歌謡曲」という気持ちも、どこかにないではない。

「イツキさんの歌は、理屈っぽいからいけない」

と、昔から言われていた。小説家としてデビューする前の話である。

CMソングの文句を書いたり、ミュージカルの構成をしたりしていた私が、レコード会社に専属の作詞家として迎えられたのは、三十歳になるかならぬかのころだ。

私が所属したのは、学芸という部門だった。レコード会社といえば、流行歌やポップスなどが花形である。学芸というセクションは、なんとなく肩身がせまい感じがあった。保育童謡とか子供の歌、世界の名曲シリーズや校歌、社歌など、ずいぶんたくさんの歌を書いた記憶がある。

〽雪のお山のこぎつねさんは　お靴もはかずに寒かろう

などという歌詞をせっせと書いていたのだから、可愛《かわい》いものである。一枚だけびっくりするほど売れたレコードがあった。A面が「ねむの木の子守《こもり》歌《うた》」という作品で、私の書いた歌がB面にはいっている。いまはカップリング曲などと洒落《しゃれ》たいいかたをするが、当時はA面とB面のあいだには、厳然たる格差があった。

新人の作詞家は、おおむねB面を受けもたされる。そしてたまたま一流作詞家の手になるA面がヒットすると、裏のB面を書いている作詞家にも印税がはいるわけだから、私たち無名の作詞家は、A面のヒットをひそかに裏で待つしかなかった。

こういう情けない作詞家を「裏待ち詩人」と称した。うまいことをいったものである。「裏町詩人」の哀愁が、そこはかとなく伝わってくるではないか。

私がB面を書いたそのレコードの表は、前に書いたように「ねむの木の子守歌」という歌で、その作詞をなさったのは、当時は皇太子妃でいらした美智子皇后である。

いくつかの社が競作したうちの一つだったが、とてもよく売れた。裏待ち詩人としては皇居をふし拝《おが》みたい気持ちであった。

そのほか記憶に残っているヒット作品は、私が構成した「鉄腕アトム」のLPレコードぐらいのものか。

なにしろ四十年も昔の話だから、すべてセピア色にかすんで見えるのは当然だろう。

当時、私が作詞家として用いていたペンネームは、「のぶ・ひろし」という。いまでも日本音楽著作権協会には、「のぶ・ひろし」「立原岬」「五木寛之」と、三つの名前が登録してある。

こんど書いた新しい歌は、堂々たるA面だ。

「ふりむけば日本海」という題名には、いくつかの思いを、ひそかに託したつもりでもあった。

かつて日本列島の表街道だった日本海文化圏《けん》が、「裏日本」などと呼ばれていることへの口惜《くや》しさもある。

また、内灘《うちなだ》の砂丘《さきゅう》から見る日本海への、思い入れもある。

海の見える糸魚川《いといがわ》の駅で一夜を明かした学生のころの記憶も忘れがたい。

この歌をうたうのが、日本海ぞいの福井県で育った五木ひろしさんであることも奇縁というべきか。

「ふりむけば日本海」

この二番の歌詞に「五勺《ごしゃく》の酒」という文句がでてくるが、五勺という言葉の意味を知っているスタッフは、ほとんどいなかった。時代だなあ。

百寺巡礼と青春の門

百寺を巡り歩く旅が、ようやく終わった。

本当に「おかげさまで」である。

一度もお休みをしたり、予定を変更することなく百寺を回り終えるなどということは、とても自分だけの力でできることではない。

皆さんがたの声なき声に励まされて、なんとか最後まで完走できたのである。

そう思えば、おのずと「おかげさまで」という言葉が、こぼれでてくるのだ。

百番目の寺は、大分県中津《なかつ》の羅漢寺《らかんじ》という山寺《やまでら》だった。

思えば第一番目の大和《やまと》の室生寺《むろうじ》から最後の羅漢寺まで、よくよく石段にご縁のある旅だった。

鬼の洗濯岩《せんたくいわ》を立てたような身延山久遠寺《みのぶさんくおんじ》の大石段。

そして山形の山寺、立石寺《りっしゃくじ》の千余段の石段。

ハリウッド映画「ラスト サムライ」の撮影にも使われたという、知恩院《ちおんいん》の堂々たる石段も目に浮かぶ。

怖かったのは、三佛寺奥院《さんぶつじおくのいん》の投入堂《なげいれどう》への絶壁の道。

平泉《ひらいずみ》の毛越寺《もうつうじ》で、老女の「延年《えんねん》の舞」を拝見したときも怖かった。あとは恐山《おそれざん》のカラスの大群。

旨《うま》かったのは、山陰の大山寺《だいせんじ》の栃餅《とちもち》。松島の瑞巌寺《ずいがんじ》の茶店で頂いたずんだ餅。宇治の萬福寺《まんぷくじ》の普茶《ふちゃ》料理も、じつに結構な味ではあった。金沢の大乗寺《だいじょうじ》の烏骨鶏《うこっけい》カステラも忘れがたい。

なんだお前さんは、と叱《しか》られそうだ。

「せっかく百寺に詣《もう》でて、石段と食いものしか印象に残ってないのか。情けない」

言われてみれば、そうである。なにかもっと深みのある感想を述べなければ、と焦《あせ》るのだが、まず頭に浮かぶのは急な石段のイメージばかり。やはり最初と最後が山寺だったことが、つよい印象として体に焼きついているのだろう。

余計なお世話かもしれないが、七十歳以上のかたには、身延山の大石段と、三佛寺投入堂への道はおすすめしない。ことに投入堂への登攀路《とうはんろ》は、かの司馬《しば》遼太《りようた》郎《ろう》さんさえ敬遠された難コースである。

九州南部の隠れ念仏の史跡をたずねたときは、たるんだ心がキュッと引きしまるような思いがした。日本の庶民たちの、念仏に命を賭《か》けるすさまじい信仰心《しんこうしん》に震撼《しんかん》させられたのである。

「百寺巡礼」の最終回もやがて放映されることになっている。百寺目とあって時間も長く、総集編的なものになるらしい。どうぞ、お楽しみください。

さて、テレビといえば、「青春の門」のドラマが、TBS系の特別番組として全国放映される運びとなった。

自作のことで恐縮だが、一九六〇年代の終わりにスタートして、一九七〇年に

第一部・筑豊編が刊行されたこの未完の長編も、今年で三十五年の月日を重ねた。映像化も五度目である。

この筑豊編のヒロインのタエを演じてくれた女優さんたちを思い返してみると、ある感慨をおぼえずにはいられない。

映画では吉永小百合さんと、松坂慶子さんのお二人。

テレビでは小川真由美さんと、黒木瞳さん。

日生劇場の舞台では若尾《わかお》文子《あやこ》さんが、このタエの役を演じてくださった。そしてこのたび六人目のタエ役が、鈴木京香《きょうか》さんである。

「青春の門」に登場する女性たちの名前には、このタエをはじめ、織江《おりえ》、旗江《はたえ》、など、なぜかエがつく名前が多い。

最近になって気がついたのだが、私の母の名前が、カシヱ、という。子供のころには変な名前だな、と思っていたのだが、無意識に登場人物の名前に投影させているのだろうか。

みみずくの旅の終わりに

三月はさまざまなものが終わる季節である。

三年間つづけて書かせていただいたこの「みみずくの夜《ヨル》メール」も、今回が最後となった。

きょうまで無事に書きつづけてくることができたのは、ひとえに皆さんがたのおかげである。北海道から九州、沖縄まで、旅先でいろんな読者のかたがたに声をかけていただいたことを懐かしく思いだす。

「『みみずくの夜メール』、読んでますよ」

と、古い友達のように話しかけてくださるかたが、どこの土地にもおられたのだ。なかには、

「あの、みみずくのなんとかね、あれ読んでます」

などとおっしゃるかたもいた。

そんな皆さんがたに元気づけられて、なんとか三年間、完走できたのだ。

助けられたといえば、村上画伯の絵である。ときには原稿なんかなくてもいいくらいにおもしろかった。

担当してくれた新聞社の人にも、ずいぶんお世話になった。

根が九州人で、そそっかしい性格なので、早合点《はやがてん》や、うろおぼえの話をそのまま文章にしてしまうことも少なくない。そんなとき、さまざまな資料を丹念に渉猟《しょうりょう》して、ミスをカバーしていただくことが再三で、ずいぶん勉強になった。

まあ、それでもふり返ってみて、

「あれはまずかったな」

と、首をすくめるようなことも多々ある。

読者のかたがたからも、個人的にはたくさんのお手紙を頂戴《ちょうだい》した。

百科事典にものっていないようなくわしいことを教えられて驚くこともしばし

ばで、そのつど、へえ、と声をあげてびっくりしたものである。スコットランドの民謡の替え歌にでてくる麦畑のことなど、その話題だけでも一冊の本が書けそうな反響があった。

寺回りの旅と連載の時期が重なったこともあり、机に向かって原稿を書いた記憶がほとんどない。

新幹線や飛行機の座席で、知らない町の喫茶店の片隅やホテルのベッドのなかで、いなり寿司《ずし》を片手にペンを走らせた三年間。

最近はやさしい漢字がどうしても思いだせないときがある。そういう場合は、窮余《きゅうよ》の一策として携帯電話のメール機能を使う。

窮余の策というのは、はて、どんな字だったっけ、と、しばしばメールに頼るところが「夜メール」だ。それにしても、年々、どうしてこう人の名前や簡単な漢字がでてこなくなるのだろう。

むかし岡本太郎さんと対談をさせてもらったとき、ちょっと岡本さんが言葉につまりそうになると、隣にいらっしゃる秘書のかたが間髪を容《い》れず、すっと小声でサポートなさる。

「──チェーホフです」

などと囁《ささや》かれるタイミングがじつに絶妙で、それを受けて岡本さんは一瞬のよどみもなくお話を続けられるのだ。なんという素晴らしいサポーターだろう、とひそかにうらやましく思っていたのだが、あまり有能なかたがそばにいらっしゃると、つい頼りがちになることもあるらしい。

岡本さんがホテルにチェックインされるとき、フロントに名前をきかれて、一瞬とまどいながら、ふり返って、

「えーと、おれの名前は?」

と、おっしゃった話も伝説として語りつがれている。

さて、なんともいえない世の中に、私たちはいやでも生きつづけていかなければならない。

こんなたあいのないエピソードが、憂《う》き世の友として一瞬でもお役に立つことがあるとすれば、こんなにうれしいことはないのである。

命をよみがえらせる演奏

本田竹広《たけひろ》さんのピアノを聴いて、生きているのも悪いもんじゃないな、とふと感じた。

前むきに人を励ます音楽もあるにはちがいないが、むしろ言葉ずくなに人を慰める音楽のほうが、はるかに上質であるように思う。

ジャズの本質を、私は「愁《しゅう》」であると考えてきた。「愁」とは「うれい」であり、サウダーデであり、with blues であり、ロシア語でいうトスカである。韓国には恨《ハン》という表現もある。

どんなエネルギッシュな演奏でも、どんな陽気な曲でも、背後に一筋《ひとすじ》、はけではいたように「愁」の気配が感じられてこそ人間的な音楽といえるだろう。

本田さんのアルバム『ふるさと— On My Mind —』におさめられている曲は、その大事なものが流露《るろ》していて、私たちの心をゆさぶるのだ。

「故郷~我が心のジョージア」を聴いて自殺を思いとどまる人がいても少しもふしぎではない。

本田さん自身、壮絶なリハビリの日々のなかで「ふるさと」や「赤とんぼ」などの曲を弾くことによって生きる気力を回復したと聞く。これらの童謡は、いわば心のララバイとしてスタンダード曲になったのだろう。

また、本田さんの御父君が作曲された「宮古《みやこ》高校校歌」の、のびやかな抒情《じょじょう》も忘れられない。どの曲も本田さんのピアノによって、本来のテーマを失うことなく見事なジャズになっている。

本田さんの演奏には、技術をこえた祈りのようなスピリチュアルなものが感じられる。偉大な音楽家たちは、みな究極のところはその地点に触れることになるのだ。

このアルバムは、一人の希有《けう》なピアニストが後の世に贈る、貴重な音楽遺産である。

疲れた夜のひとときによし、爽《さわ》やかな秋の日の道連れによし、どんな聴きかたをも認める自由な音楽と出会えたことが、なによりもうれしい。本田ファンの一人として、このCDをおすすめしよう。

(本田竹広さんは二〇〇六年一月に逝去されました。つつしんで浄福を念じます)

百寺の旅　千所の旅

七十歳の春から、百の寺を回り歩く旅をはじめた。ひと月に四寺から五寺を訪れて、いまようやく九十寺に達しようというところである。

仕事がらみの旅ではあるが、それだけではない。かなり以前から漠然と考えていたことが、いくつもの偶然が重なって思いがけず実現したのだ。

この年になって感じるのだが、世の中のことというのはそういうものである。必死になってがんばっても、できないものはできない。うまくいくときは、あれよあれよという間に話がまとまってしまう。

二年間で百寺を回ることになって、最初はやはり不安だった。毎月、四寺から五寺というのは、かなりハードな日程である。体力も必要だが、なによりも根気が続くかどうかが問題だろう。

好きやすの飽きやす、というのが九州人の特徴で、私もその例にもれない。弥《や》次馬《じうま》根性だけは人一倍つよいのだが、粘りにかける性格だ。いったんはじめたら、途中で放《ほう》りだすわけにはいかない旅である。

あれこれ迷っているうちに、たちまち出発の日がきた。最初に訪れたのは、春なお浅き大和《やまと》山中の室生寺《むろうじ》である。

女人高野《にょにんこうや》として人気の高いこの寺は、いささか辺鄙《へんぴ》な場所にある。しかも寒い。快適なホテルなど期待するほうが無理だ。

おっかなびっくりでかけた室生寺だが、この皮切りの寺の印象がすこぶるよかった。

泊まった橋本屋旅館のおかみさんは、若いころ室生寺小町とうたわれた人だという。写真家の土門拳《どもんけん》さんがしょっちゅう逗留《とうりゅう》した宿らしいが、惹《ひ》かれたのは仏像だけだろうか。

いや、仏さんもなかなか魅力的だった。

土門さんは室生寺の釈迦如来像《しゃかにょらいぞう》を日本一の美男と評したそうだが、私はこの寺の聖観音《しょうかんのん》さんに一日で夢中になった。

内陣の奥の、暗い場所におかれていて、ふだんはあまりよく見えない立像《りゅうぞう》である。カメラのライトのせいで、はじめて気づかされたくらいだ。

この寺の石段が凄《すご》かった。奥の院まで往復約千四百段。数えかたによっては何段か誤差がでるかもしれない。カーブしている場所などに、微妙な段差があるからである。

室生寺の石段を体験してしまうと、あとはどこの山寺《やまでら》を訪れても驚くことはない。

「岩にしみいる蟬《せみ》の声」で有名な山寺、立石寺《りっしゃくじ》の、千余段をのぼったときも、ぜんぜん平気だった。

最初の寺をクリアしてしまえば、ふんぎりもつく。

こうなった以上、なにがなんでも百寺を回ろうと覚悟がさだまる。

はじめはおずおずと、後には脱兎《だっと》のごとく、各地の寺々を歴訪して、あと十寺あまりで満腹というところまで、やっとたどりついた。

§

いまふり返って思うのは、「人生いろいろ、寺もいろいろ」ということである。

じつにふしぎな寺があり、じつに驚くべき寺がある。

日本列島を占領したかにみえるコンビニの数、およそ四万という。しかし、宗教法人としてちゃんと運営されている寺は、はるかにそれを上まわる。現存する寺、約七万四千寺と聞いて驚くのは私だけではあるまい。

七万四千寺以上の寺が、廃寺《はいじ》にならずに生きているということはどういうことか。

だれかがその寺を物心両面で支えているからこそ、成り立っているのだ。

そう考えてみると、無宗教民族ともみられる日本人のイメージが少し変わってくる。

意外にも私たちは、決して寺に無関心ではないらしい。

この国には年間一千万人以上の参拝者を集める寺がいくつもある。浅草《あさくさ》浅草寺《せんそうじ》を筆頭に、長野の善光寺《ぜんこうじ》、成田《なりた》山新勝寺《さんしんしょうじ》、そのほかにもまだまだあるだろう。

参拝者というより観光客じゃないのか、と、からかう声もきこえそうだが、私は両者を区別しない主義だ。

物見《ものみ》遊山《ゆさん》であれなんであれ、ディズニーランドへいくのと寺を訪れるのとは、あきらかにちがうものがあるような気がする。

「縁なき衆生《しゅじょう》を済度《さいど》する」というのが仏教の根本の精神だから、観光のつもりで寺へきて、万が一にもなにか感じるところがあれば、仏さんも大いによろこばれるのではあるまいか。

などと偉そうなことを書いている私自身も、これまではほとんど「縁なき衆生」の一人だった。

§

若いころ九州から上京して以来、浅草の観音《かんのん》さまには何度となくでかけている。

いまはなき国際劇場で、ＳＫＤの踊り手さんのラジオ番組を構成していたころなど、境内《けいだい》を通り抜けの道として気軽に使っていたものだ。

「で、浅草寺はいったい何宗の寺なんだい」

と、あるときききかれて立往生《たちおうじょう》したものだった。

浅草の観音さま、と気軽に呼んできたものの、正式の宗派《しゅうは》となるといささか困る。

「たしか金龍山浅草寺《きんりゅうざんせんそうじ》といったと思うけど」

「それはわかってる。どこの宗派の寺かときいてるんだ」

「うーむ」

絶句したのが口惜《くや》しくて、いろんな人に同じことをたずねてみると、意外なほど答えられない相手が多い。

下町通《つう》を自称する編集者にきいてみても、けげんそうな顔をするだけだった。

「そんなものあったっけ」

などと、ひどいことを言う相手もいる。

たしかに無宗派を名乗る寺は、ないわけではない。長野の善光寺が、無宗派の寺であることはよく知られている。

§

現在、浅草寺は聖観音宗《しょうかんのんしゅう》の寺である。

天台《てんだい》の流れをくむ一派だが、浅草寺のはじまりが比叡山延暦寺《ひえいざんえんりゃくじ》よりも古いと知ったときは、やはり驚いた。

寺伝、というのは、おおむね後世につくられた物語のようなもので、必ずしも歴史ではない。

歴史ではないが、まったくのフィクションでもない。物語に仮構された真実というものが、随所に見え隠れするところがミソである。

伝わるところによると、浅草寺は、漁師が隅田《すみだ》川から拾いあげた観音像をまつった堂宇《どうう》からはじまる。

西暦六二八年（推古《すいこ》三十六年）というから、これは古い。

奈良の東大寺が七四五年（天平《てんぴょう》十七年）の創建という。それより百年以上も古い寺が浅草寺ということになる。

これまで私の頭のなかでは、江戸以前のこの土地のすがたが、ほとんどイメージされることがなかった。前《プレ》・江戸《エド》という感覚が皆無だったのだ。

一千年の古都といわれる京都よりはるか以前に、関東の一角にどんな寺があり、どんな町があり、どんな人びとの暮らしがあったのだろうか。

§

話は飛ぶが、古都といえば、金沢なども小京都を自称している。

金沢では、先年、建都四百年を記念する行事が催されたはずだが、この四百年という区切りかたが気になってしかたがなかった。

金沢の起源は、十六世紀に尾山御坊《おやまごぼう》と呼ばれた浄土真宗《じょうどしんしゅう》の寺が誕生したことにはじまる。

金沢御堂《みどう》ともいわれたその寺を中心に、寺内町《じないまち》が形成され、しだいに発展していく。

やがて約百年におよぶ一向衆《いっこうしゅう》の共和国が倒されたあと、江戸時代は加賀藩として前田家百万石の城下町に発展していくこととなる。

前《プレ》・加賀《カガ》藩のおよそ百年をくわえると、金沢は五百年の古都といっていいだろう。

一向一揆《いっき》の百年を街の歴史に入れたくないという心情が、どこかにはたらいているのだろうか。

先日、みぞれの降るなかを金沢城址《じょうし》の旧御坊のあとを歩いて、いろんなことを感じたものだった。

百寺を回る旅とはべつに、「千所千泊《せんじょせんぱく》」という以前からの計画もなんとなく続いている。

若いころは外国を旅行するのが特技だった。

ロシアや、北欧や、イベリア半島などを舞台にした小説を、たくさん書いたものである。

しかし、あるとき突然、おれは自分の母国を知らない、と痛感した。

日本のことをろくに知りもしないで、外国の話などしていることが急に恥ずかしくなってきたのだ。

菅江真澄《すがえますみ》や、鈴木牧之《ぼくし》や、宮本常一《つねいち》や、坂口安吾《あんご》などの書いたものを読んで、よし、と思う。早速、「千所千泊」という計画をたて、みんなに言いふらした。

十年のうちに知らない町や村など、一千カ所を回ってみようと思う、と宣言したのだ。

いちどでも訪れた場所はカウントしない。

はじめて足をふみ入れた所だけを一カ所と数える。

寝室のベッドの枕《まくら》の上に日本地図をはった。どこか一カ所おとずれるたびごとに待ち針を一本刺すことにした。

§

それから十数年たったが、まだ一千カ所には達していない。

枕元《まくらもと》の日本地図は針の頭でまっ赤である。

それでもようやく七百九十五本の針を立て終えたところだ。

はたから見ると酔狂な道楽にしか思えないだろう。一千カ所の土地をたずねて、それでどうした、と言われてもしかたがない。

しかし、ほんの少しずつではあるが、この日本という国のすがたや、日本人の暮らしぶりがぼんやり見えてきたような気がする。

これまで漠然と考えていたものが、なんとなく手で触るように確かめられてきたような感じもあるのだ。

百寺のほうは順調にいけば、あと二カ月あまりで巡拝を終えることになるだろう。千所のほうも、七十五歳ぐらいまでにはどうやらクリアできそうだ。

しかし、一寸先は闇《やみ》。

山陰の三佛寺《さんぶつじ》の投入堂《なげいれどう》に登ったときは、馬の背であやうく足を滑らせそうになった。先ごろ関西の女の人が落ちて亡くなった場所である。

中尊寺《ちゅうそんじ》へいったときは、腰痛がでて往生した。

そうでなくても原稿の締め切りを抱えての旅暮らしは、やはり楽ではない。最近は深夜のコンビニで買うおにぎりに関しても、すっかり通《つう》になってしまった。

それにしても日本は広い。

歩いても歩いても底が知れないふしぎな国である。

この旅の終わりに待っているのは、たぶん、浄土という、さらに遠く広い世界なのだろう。

『歎異抄』を読むまえに

親鸞《しんらん》ほど日本人に知られた宗教者はいないだろう。

浄土真宗《じょうどしんしゅう》をひらいた人、ということは知らなくても、『歎異抄《たんにしょう》』の主人公であることは周知の事実である。

とはいうものの、日本人のすべてが『歎異抄』を読んでいるわけではない。いや、『歎異抄』どころか、親鸞という名前を正確に読むことのできない人たちも、ずいぶん多くいるはずだ。

たぶん、ここで「日本人」という場合の、その人のイメージの幅が露呈《ろてい》されることになる。大多数の日本人、といった場合の大多数とは、どれほどのものか。

日本社会における大衆像には、各人各様の、おそろしいほどの亀裂《きれつ》があるように思われる。

今年の春、長野の善光寺《ぜんこうじ》を訪れた。また、俗に成田山《なりたさん》と呼ばれる成田不動、新勝寺《しんしょうじ》にも足をはこんだ。

このあまりにもポピュラーな二つの大寺《おおでら》に、浅草《あさくさ》の金龍山浅草寺《きんりゅうざんせんそうじ》をくわえると、日本におけるもっとも大衆的な寺院のすがたが、巨鯨《きょげい》のように浮かびあがってくるのではあるまいか。

§

浅草観音《あさくさかんのん》として有名な浅草寺は、日本を訪れる外国人観光客にも人気のある寺だ。

シュワルツェネッガーなどハリウッドのスターたちをはじめとして、メジャーリーグのプレイヤーたち、Ｋ－１その他の格闘技の選手など、浅草寺の雷門《かみなりもん》や仲見世《なかみせ》でしばしばポーズをとってテレビカメラの前に立つ。

この寺を年間、どれほどの数の日本人が訪れるか、私はほとんど知らなかった。

境内《けいだい》を通り抜ける通行人もくわえると、一年間に三千万人をこえると聞いて、「嘘《うそ》だろう」と応じたくらいだ。

しかし、どうやらこの話は本当のことらしいのである。

人気絶頂のディズニーランドを訪れる客はどれほどのものだろうか。たずねてみると、およそ千七百万人くらいでしょう、という答えが返ってきた。

浅草寺はレジャー施設ではない。

寺伝のいうところを信じれば、その起源は飛鳥《あすか》時代にさかのぼる。

およそ千四百年の歴史をもつ古刹《こさつ》なのだ。

御開山、つまり寺の創立者は勝海上人《しょうかいしょうにん》とされている。六二八年（推古《すいこ》三十六年）、隅田《すみだ》川で拾われた観音像を本尊として浅草寺は開かれたという。

奈良の東大寺《とうだいじ》が創建されたのは、七四五年、天平《てんぴょう》時代のことだ。浅草の観音さまは、それより百年以上もはやくできていたのだから、これは凄《すご》い。

私はなんとなく、浅草寺は江戸開府とともに生まれた寺のように錯覚していたのだった。

このマンモス寺、浅草寺に成田山新勝寺と長野の善光寺をくわえると、年間にそこへ訪れる人びとの数は信じがたいほど巨大なものになるだろう。ほかにも川崎大師《かわさきだいし》その他の、多くの人びとが集まる寺がある。それらのすべての参拝者の数は、軽く五千万人をこえるのではあるまいか。

それがどうした、と、苦笑する顔が目に見えるようだ。いったいその人数と『歎異抄』とは、どういう関係があるのかといぶかしむ人もいるはずだ。

待ってほしい。

『歎異抄』について、最初に私は、こう書いた。『歎異抄』ほど日本人によく知られた書物はあるまい、と。

しかし、実際には真宗《しんしゅう》の熱心な門徒や、知識人層を除くと、たぶんこれらの数千万人の巨大な寺への参拝者たちは、『歎異抄』の名はともかく、それに目を通した人はきわめて少ないのではなかろうか。

『歎異抄』はたしかによく知られた書物だ。しかし、それは決して有名な大寺へ観光バスツアーで訪れる人びとにポピュラーなわけではない。

私がここで言いたいのは、こういうことだ。『歎異抄』を周知のように語らないこと、そのことが大事なのではないか。むしろ縁なき衆生《しゅじょう》に『歎異抄』をどう語るかが重要なのではないのか。

§

『歎異抄』を読むに際して、もっとも大切なことはなんだろう、と私は考える。親鸞についての基礎知識か。浄土真宗についてのアウトラインを知ることか。いや、そうではあるまい。一冊の本は虚心にそれと向かい合うことが重要なのだ。

私たちは、どんな姿勢で『歎異抄』に対するべきなのだろう。

『歎異抄』は、言うまでもなく親鸞の弟子《でし》の一人が、師の生前の言行を語った本である。

しかし、それだけではない。執筆者とされている唯円《ゆいえん》は、いったいいかなるモチーフでこの一冊の本をあらわしたのか。

一般にいわれているのは、『歎異抄』のタイトルに示されているように、生前の親鸞の正しい教えが世に伝わらず、むしろ他力《たりき》や念仏の信仰《しんこう》が誤って流布《るふ》され、まちがった言説が親鸞の思想として横行していることに著者が激しい違和感をおぼえたことがきっかけであると考えていいだろう。

『歎異抄』をめぐって、さまざまな議論がかわされてきた。

「悪人正機《あくにんしょうき》」の解釈もさまざまである。

しかし、本当に大事なことは、『歎異抄』の「歎」抜きの議論は無意味だということではあるまいか。

「ああ、なんということだろう!」

と、思わずうめき声がもれる。大きなため息をつく。胸がはり裂けそうになる。

そういう激しい感情なしに『歎異抄』は成立しなかったはずだ。

「悲泣《ひきゅう》せよ」

と、晩年の和讃《わさん》のなかで親鸞は呼びかける。その「悲泣するこころ」こそ、『歎異抄』の根本の姿勢だろう。

『歎異抄』は、ただ異端の横行を歎《なげ》く言説ではない。正しい信仰を訴える書でもない。

根本のところに、この「悲泣するこころ」が熱く脈打っているからこそ、『歎異抄』なのだ。

読後、そこにあらわれている親鸞の思想を論議することが『歎異抄』を読むことではない。おのれの悪の自覚に心が震え、ああ、なんという自分であろうかと、体ごと歎《たん》ずる感情が生まれてきてこそ『歎異抄』に出会ったことになる。

理論的に読むことはやさしい。そうでなく、激しい感情で『歎異抄』の歎きをともに歎くことの、いかに困難なことか。

私たちは「理解」の病《やまい》に知らず知らずおかされて近代を生きてきた。ともに感じ、ともに歎ずることの大事さを忘れているのが現在の私たちだ。

新聞を開く。目をそむけたくなるようなニュースが日々あふれている。中学校教師の父親と元小学校教師の母親を、鉄亜鈴《てつあれい》で殴殺《おうさつ》した息子《むすこ》がいた。両親と姉を刺殺した青年がいた。

車中でともに自殺する若者が毎日のように報じられている。新聞は小さな記事で報じるだけだ。

おそらくいま、命の軽さは臨界点に達しようとしているのではあるまいか。

この実状に私たちはどう対すればよいのか。

もし、親鸞がこの時代に生きていたとしたら、いったいなんと言っただろう。唯円が問われたら、なんと答えただろう。

『歎異抄』を開く前に、私たちは「悲泣するこころ」「真に歎ずるこころ」の有無をみずからに問うことが必要だと思わずにはいられない。

§

以前、講演でこんなことをしゃべったことがあった。その後、単行本にも収録したが、その一部を抜きだしてみることにしよう。

〈(前略) 何年か前に、ふと、倉田百三《くらたひやくぞう》という作家の『出家とその弟子』という本を読んでみたい、と思ったことがありました。

自分も戯曲を書いていましたから、『出家とその弟子』というたいへん高名な作品を読んでいないのは恥ずかしい、ぜひそれを読んでみたいと思いたったのです。

しかし、倉田百三という名前は、いまそんなにみんなの記憶にとどまっている名前ではありません。

『出家とその弟子』という題名も、かつてはたいへんセンセーショナルな題名だったでしょうが、いまの文芸評論家たちは、わりあい簡単に、感傷的な宗教文学、などとひと言でやりすごしてしまいます。

この大正六年に若い倉田百三が書いて岩波書店から出版された『出家とその弟子』は、当時の青年たちのあいだに大変なセンセーションを巻き起こし、大ベストセラーとなりました。

しかし最近はほとんど忘れられかけているような本ですから、書店でもすぐには手にはいらないだろうと思いました。

国会図書館に行けばあるのかな、と思いながらも一応、念のため書店に行って探しました。

たいへん意外なことに、すぐ手にはいったのです。岩波文庫と新潮文庫が簡単に手にはいったので、ちょっとびっくりしました。

本には奥付《おくづけ》というのがあって、いちばんうしろの一ページに、その本がはじめて出されたとき、改訂版が出たとき、その版がいつ印刷されたか、発行者がだれであるか、細かく書いてあります。

この奥付を見ると、昭和二年に岩波文庫にはいって、延々と版を重ね、最近でも、八十八刷《ずり》とか、大変な刷数がそこに書かれているわけです。

ということは、昭和二年からずうっと読みつづけられてきて、いまも毎年毎年、版を重ねているということになります。

一方、新潮文庫のほうは亀井《かめい》勝一郎《かついちろう》さんが解説を書き、昭和二十五年に新潮文庫に収録されています。

それから平年八年まで七十九刷という刷数が重なっている。これにも驚きました。

岩波文庫にしても新潮文庫にしても、ほとんどあまり文芸評論家たちの話題にもならないような『出家とその弟子』という作品が、じつは大正六年から平成の現在まで延々と読みつづけられてきて、日本列島のいろんなところで地下水のように『出家とその弟子』を読みつづけていた水脈があったということに、ぼくは非常に感動しました。

内容を読んで、これもなかなかおもしろかったのですが、非常にボリュームがあるので、お芝居にしたりすると大変だろうな、と思いましたけれども、そのなかの、ちょっとした部分に非常に印象的なところがありましたから、それを今日はお話ししようと思います。

私の心にひっかかった部分は、出家つまり親鸞という主人公と、その弟子——唯円という若いお弟子さんの話です。

唯円は親鸞の記録をまとめた『歎異抄』というたいへん有名な書物の編者といわれています。

この唯円と親鸞とが、どこかで外を眺めながら短い対話をしている場面があります。

この場面を読んで、映画のシーンのように、ひとつの光景が記憶のなかにうかびあがってきました。

唯円が外を眺めながら、ぽつんと親鸞にこんなふうに言います。

「お師匠さま、私はこのところ、なんだかさびしい気持ちがしてならないのです。ときどきぼんやりいたします。こうして道を歩いている人を眺めていても、なんとなく心がさびしくなってきて涙がこぼれたりする。こんなことでいいのでしょうか」

まあ、原文とはちがいますが、つまりこういうふうな口調で問いかけます。修行中の身がこんなことでいいのでしょうか、というふうな気持ちできくのです。

それに対して、たしか親鸞はこういうふうに答えるのです。

「それでいいのだよ」

友人に接するような優しい感じの対話です。

親鸞の人間味が非常によくそこには描かれているような気がします。

「それでいいのだよ。唯円、それでいいのだよ。さびしいときには、さびしがるがよい。それしか仕方がないのだ」

というふうに親鸞が答えると、唯円は重ねて、親鸞にたずねます。

「それじゃ、お師匠さまのようなかたでも、さびしいなんていうことを、お感じになるときがおありなのですか？」

信心の定まったあなたのような立派なかたでも、さびしいなどという気持ちになることがおありなんですか？　とたずねるわけです。

親鸞はそれに対して、こんな意味のことを答えるのです。

言葉は正確ではありませんが、説明的に勝手な言葉をつけくわえていいますと、つまりこういう内容のことです。

「私もさびしいのだよ。そして私は一生さびしいのだろうと思っている。だが唯円よ、おまえがいま感じているさびしさと、私が背負っているさびしさとは、ちょっとちがう。おまえのさびしさというものは時間がたつとふっと通りすぎていくような、ある意味では対象によって癒《いや》されるさびしさなのだが、私がいま感じているさびしさというものは骨身にしみわたるような深い重いさびしさなのだ。そして私は一生このさびしさを背負って生きていくのだろうと思っている」

と、まあ、あらましこんなふうに、唯円に向かって、弟子と師匠という感じでなく、若い友達に語りかけるような口調で、親鸞は語ります。

そして重ねてこんなふうに言うのです。

「おまえもいずれ、そういう本当のさびしさというものが理解できるようになってくる、それを感じるようなときがくるであろう。唯円よ、そのときにはそのさびしさから逃げようとか、そのさびしさをごまかそうとかしてはならない。自分を欺《あざむ》いたりしないで、そのさびしさをまっすぐに見つめ、その自分の心に忠実にしたがえばよい。なぜならば、本当のさびしさというものは、運命がおまえを育てようとしているからなのだよ」

そういう意味のことを親鸞は諄々《じゅんじゅん》と唯円という若い弟子に語ってきかせるのです。

おまえもいつか本当のさびしさを感じるときがくるであろう。そのときにはそのさびしさから逃げるな。そのさびしさをごまかすな。適当にやりすごすな。きちんとそのさびしさと正面から向きあって、そのさびしさをしっかりと見つめるがよい。そのさびしさこそは運命がおまえを育てようとしているのだから、というふうに親鸞は答えるのですが、弟子の唯円と親鸞という先輩との、心の通いあいが感じられるような対話です。

おそらく、そこで倉田百三という著者が親鸞にいわせていることは、本当の信仰というのは、たとえば苦しい修行、苦行とか極限状態のなかでめぐりあうということもあろうが、それだけではない。

人間はさびしさに打ちひしがれるときでも、さびしさのなかから本当の信仰が芽生えるときもあるのだ。つまり人間的なすべてのものは人間が求めるものへの扉なのだ、だからそれを素直に受け入れて、それとまっすぐに向きあえ。

こういうことを親鸞は語ってきかせているのだろうと思うのです。

私たちはその場面を倉田百三という作家の筆で読むわけです。そこで面授《めんじゅ》を受けている唯円のような心持ちがしてくるわけです。

自分に向けて親鸞が友達のように語りかけてくる心持ちがする。

『出家とその弟子』が大正六年のころに当時の青年たちを熱狂させ、大成功した理由のひとつは、そのへんにあるのだろうと思います。

言葉が活字であらわされているにもかかわらず、なにかそこから親鸞の肉声のようなものがきこえてくるような錯覚がある。

これは、言葉というもの、あるいは本というもの、印刷物というものの非常に不思議な、しかも魅力的なことのひとつだろうと思います。活字であるにもかかわらず、思いのたけが姿を変えて、生きているような言葉がある。

それと同時に、言葉の限界もある。

面授といって、言葉だけではなく、人間の息づかい、肌の輝き、双眼の色でなにかを伝える方法がある。

どちらもとても大事である――とつくづく感じます。

物の考えかたには、相反する二つのことが同時にあって、その両者の間を《往《おう》還《げん》》、いったりきたりしながら――英語でいうと《スイングする》という言葉なのでしょうか――、私たちは真実というものを理解することができるのではないか。片方だけに凝《こ》り固まっては駄目だ、という気持ちが、ぼくには心の底にあるのです〉

要するに、本を読むということは、そういうことなのではあるまいか。

そこに書かれた文章を理解することに意味がないわけではない。

「悪人正機」が法然《ほうねん》の発想であるか、親鸞のオリジナルであるかを検証することもよかろう。

『歎異抄』の構造を分析することにも反対ではない。

しかし、問題は真に「歎ずる」気持ちが湧《わ》きだしてくるかどうかだ。

ああ、という大きなため息こそ、『歎異抄』を読むもっとも大事な姿勢なのではあるまいか。

小説で親鸞を描けるか

井上靖《いのうえやすし》さんと生前に会ったときの話だ。

そのとき、井上さんはガンを宣告されていた。ご本人の口から淡々とそのことを話されて、ふと独り言のように、こう言われたことが記憶に残っている。

「医者に、もう三年、生かしてほしいと頼んだんですよ」

私が黙っていると、井上さんは噛《か》みしめるような口調で続けた。

「利休《りきゅう》を書いた。孔子《こうし》も書いた。あと書きたかったのは、親鸞《しんらん》です。だから、それを書く時間を私にあたえてくれませんか、とね」

小説家というのは凄《すご》いもんだな、と、そのとき思ったものだった。

死ぬまでにこれを書きたい、これを書かなければ死ねない、という執念《しゅうねん》が伝わってきて、圧倒されるような気がしたのである。

その点、私なんぞは軽薄なものだ。これを書くまでは死ねない、というような主題は、正直に言って何ひとつない。

書いてみたいことは沢山《たくさん》ある。それこそ山のようにあるのだが、それが作品になるかならぬかは他力《たりき》の風にまかせるしかないだろう。

その縁あらば小説を書くだろうし、なければそのまま終わっても文句はない。

そう思ってきょうまでやってきた。

「イツキさんは小説はもう書かないんですか？」

などと読者にきかれることがある。新聞記者などにも同じ質問をする人がいる。

「おい、おい、待ってくれよ」

と、いうのが私の本音《ほんね》だ。

万事につけせっかちなこの国では、五年か十年、小説を書かずにいると、あたかも小説と縁が切れたかのような見かたをされかねない。

毎月、毎月、読み切りの短編を雑誌に発表するか、新聞や週刊誌に連載を書くのがプロの小説家と思われているらしい。

だが、少々お待ちあれ。

小説なんてものは、そう次から次へと絶え間なく書くものでもあるまい。じっくりと構想を練って、熟成するまで待つのが、プロの作家というものだろう。

たしかに私もデビュー以来、絶え間なく小説を発表しつづけてきた。流行作家と呼ばれた時代もある。

しかし、そんなふうに十年、二十年と小説を書きつづけるストックは、無名時代の蓄積にあったと言っていい。

§

私がはじめて小説らしきものを書いたのは、中学生のころだ。デビューするまでに、二十年間の待ち時間があったことになる。

少年時代からあたためてきた小説のテーマを、ほとんど書きつくしたと感じたのは、小説家となって七、八年ほどたったころだった。

休筆と称してマスコミの表面からはなれ、京都に移り住んだのは、その時期である。下駄《げた》をはいて京都の裏町をほっつき歩いたり、古本屋に通《かよ》ったり、図書館に入りびたったりしたあの時期のことを、ときどき懐かしく思いだす。

三年ほどたって、『威厳令の夜』という長編で小説雑誌に復帰した。それからふたたびあわただしい執筆生活が続いた。

二度目の休筆をしたのは、たぶん五十歳になるかならぬかのころだろう。再度、京都に住み、今度は仏教系の大学の聴講生になった。近江《おうみ》や、奈良や、和歌山などをほっつき歩いたのも、その時期である。二上山《ふたかみやま》、葛城《かつらぎ》、金剛《こうごう》などの連山の道をよく歩いた。

『風の王国』という長編は、そんな旅の途中で、奈良県と和歌山県の県境にある「風の森峠」という峠をこえたときに、タイトルが頭に浮かんだ。

そこに若いころからずっと調べてきたサンカ系の移動民のイメージが重なり、二上山と当麻寺《たいまでら》の記憶がよみがえってきて、ひとつの物語が形をとってあらわれてきたのだ。

のちに私が蓮如《れんにょ》を書くようになった最初のきっかけは、よく誤解されるのだが、京都の大学で仏教史を聴講したことではない。

龍谷《りゅうこく》大学へ通ったのは、当時、千葉乗隆《じょうりゅう》先生が教室で教えておられたからである。

千葉先生は真宗《しんしゅう》史の権威で、のちに学長や、宗学研究所の所長などもつとめられた。だが、私が千葉先生の講義に関心を抱《いだ》いたのは、先生が戦後、研究チームをひきいて、はじめて鹿児島の「隠れ念仏」の実地調査にたずさわられた学者でいらしたからである。

私が北朝鮮から引揚《ひきあ》げた直後に住んだのは、九州の肥後《ひご》にちかい筑後《ちくご》山地の山村だった。

昭和二十年代のはじめ、その地方にはカヤカベ教という宗教が熱病のようにひろがった時期があり、少年の私はなぜかそのカヤカベに心を惹《ひ》かれたものだった。

カヤカベ教が大隅《おおすみ》半島、霧島山麓《きりしまさんろく》一帯に根づいた「隠れ念仏」の土着化した宗教であることを、私は後になって知ることになる。そんな少年期の体験から、千葉先生の授業を受けてみたいと考えたのだった。

§

自分のたどってきた道筋をふり返ってみると、ほとんど自力《じりき》で選んだものがないことに気づく。

いくつもの偶然が重なって、ある場所に引っぱっていかれたという気がするのだ。

これもよく誤解されるのだが、私はいわゆる浄土真宗《じょうどしんしゅう》の寺の正しい門徒ではない。両親は共に九州の真宗の家の出だから、その遺骨と遺品は奈良の真宗の寺におあずけしてある。

私も子供のころから正信偈《しょうしんげ》を暗記していたが、それは父親がお勤めをしているのを横でまねをしていておぼえたものだ。

私は親鸞という人の信仰《しんこう》と思想に、とても共鳴するところがある。また、その師の法然《ほうねん》、継承者の蓮如にもつよい関心を抱いてきた。

日本の仏教のなかで、浄土教系の教えに心を惹かれるところがあるのは、必ずしも両親が真宗の家の出身だからではない。

親鸞や、蓮如の書いたものを読み、その生涯を知ることで圧倒的な共感をおぼえたのだ。

その意味では、本願寺《ほんがんじ》の門徒というより、日本全国に数多く存在する親鸞の一ファン、といったほうが正確だろう。

わが国の浄土真宗は、めずらしく一神教的な色彩をもった宗教である。「神祇《じんぎ》不《ふ》拝《はい》」などという言葉もあって、かつては他宗の寺や、神社などを拝《おが》まぬよう教えたこともあった。

「弥陀《みだ》一仏《いちぶつ》」

というのは、真宗の根本の信仰である。しかし、それは偏狭な原理主義的な一神教ではない。蓮如は口をすっぱくして、他宗や、「諸仏、諸神を軽《かろ》んずべからず」と教えた。

真宗学の大先達《だいせんだつ》であった金子大栄《だいえい》は、

「真宗は選択的な一神教である」

と、いうような意味のことを書いているが、この「選択的な」という点がとても大事なことなのではあるまいか。

§

きょう、私は熊本県の人吉《ひとよし》にきている。人吉は旧・相良《さがら》藩領の中心となる町だ。この地方は、俗に「隠れ念仏の里」として知られている。

もちろんこの「隠れ念仏」という表現は、さまざまに誤解を招きやすい言葉だが、要は十六世紀あたりから三百数十年続いた「真宗弾圧」の舞台の一つである。

「念仏禁制」ともいわれるが、ただ念仏を禁じたわけではない。

一向衆《いっこうしゅう》と呼ばれる門徒集団を禁じた「一宗念仏禁止」の動きと、民衆の対抗運動というのが実態だろう。

「選択的な一神教」というが、それでも弥陀一仏という信仰は、ごく自然なこととして、他宗の仏に対する批判、無視としてあらわれがちなものである。

そして、それは同時に「わが仏」絶対の原理主義におちいりやすい。

寺の坊主を生き仏として尊崇《そんすう》する傾向が、かつてあった。

北陸へおもむいた蓮如は、そのことを書簡のなかでくり返しくり返し警告している。

親鸞が「弟子《でし》ひとり持たず」と言ったのも、師→弟子、という上下の絶対関係を否定した言葉だろう。

にもかかわらず、人びとはどんな時代にでも偶像を求める傾向がある。かつて京都の本山の門主が地方に下向《げこう》したとき、在地の門徒たちが争って門主の入浴した風呂《ふろ》の水を奪いあったエピソードがあった。

人間には本来、「わが師」「わが仏」「わが神」を求める自然の欲求がひそんでいるのかもしれない。

§

仏教思想の始祖であるシャカは、死後、絶対的崇拝の対象となり、釈迦《しゃか》如来《にょらい》として仏の列に加わる。

悟りに達した人をブッダと呼ぶ。

ブッダは覚者《かくしゃ》であり聖なる存在であるが、イコール如来ではない。ブッダは人であるが、如来はホトケなのだ。

シャカも、やがてホトケとなった。

ホトケとなった瞬間から、それは絶対の存在となり、思想家でも、宗教家でも、聖人でもなくなる。オガむ対象となるのだ。

率直《そっちょく》に言って、私はシャカをホトケに格上げしてしまうことに必ずしも賛成ではない。

批判とお叱《しか》りを覚悟の上で書くが、私はシャカの思想と信仰を学び、論じ、共感したり疑問を呈したりという、そういうことの可能なブッダのままであってほしいという気持ちを、おさえることができない。

ソクラテスもプラトンも、神ではない。孔子と老子《ろうし》は、ともに廟《びょう》にまつられてカミ扱いされることもあるが、その思想を論じることはできる人間だ。

仏教は智慧《ちえ》と慈悲の教えであるという。私はその智慧に学び、慈悲に触れたいと思う。

しかし、シャカの思想を思想として論ずるとき、それはすでに宗教の領域からは、はみだしてしまっているのではないか。

「シャカの教え」という。「教え」はあくまであたえられ、それを守るものであって、学び、論ずるべき世界ではない。

小説家にとってはそこが問題なのだ。

§

親鸞を小説に書こうと決めてから、すでに十年以上の歳月が過ぎた。

蓮如を書いた以上、親鸞まではなんとしてもたどりつきたい。

しかし、井上靖さんのように、死ぬ前になんとしてでも完成させたい、というほどの思い込みはなかった。

書くのも他力。

書かざるも他力。

そんな他力がうしろから背中を押してくれれば、いやでも書くことになるだろう。そんなイージーな気持ちで二年が過ぎ、三年が過ぎた。

すでに資料的な準備はととのっている。あとは、どう描くかという、方法論だ。

しかし、実際に筆をとってみるまでにいかなかったのは、私の側に迷いがあったからである。

迷いの一つは、親鸞という宗祖《しゅうそ》に対する人びとの熱い思いである。門徒にとって、親鸞は絶対の存在である。生身《なまみ》の人間を見る感覚ではない。

しかし、小説とは、あくまで人間を対等な目線から見て描く世界だ。人間としての親鸞を描くとなれば、極端な話、そのベッドシーンを描く場合もないわけではないだろう。

しかし、それははたして可能だろうか。

教団の内部に禁忌があるわけではない。こう書いてはいけないという明文化されたタブーもない。

とはいうものの、あくまで人間として描くことに終始するかぎり、目に見えないビニール質の制約というものはある。

それは外部からくわえられる圧力ではなく、書き手自身の心のなかでの葛藤《かっとう》だ。親鸞を書く以上、一人の人間として書く。その姿勢は変わらない。しかし、自分自身の内部に、なぜかそれをためらわせるものがある。

それはなんだろう。

その正体をはっきりつかもうとして、私はこの何年間かを迷いながら過ごしてきた。

いま、ある方向が見えてきたような気がするのは、リフレクターを用いることを考えついたからだ。

直接に正面から描写する方法だけが小説の方法ではない。

親鸞の言葉に「横超《おうちょう》」という表現がある。

その言葉を拡大解釈することで或《あ》る活路が開けたという実感を、いまはじめて得たような気がする。

あとがきにかえて

ここに収められた雑文は、三年間にわたって朝日新聞に連載されたコラムの後半の部分に、他のいくつかの文章をくわえたものである。

エッセイというほどの文章ではない。日々の暮らしのなかから、ぶつぶつ不平を言ったり、あーあ、とため息をついたりするような感じを切りとって文字にしたようなものだ。

それでも私は、小説家としてデビューする以前から、そんな雑文のスタイルが好きだった。ロシア語には、フェイエトン、という言葉があるそうだ。随筆というほど格調高いものでなく、いわば「雑録」とでも訳される表現であるという。

私はそんな仕事をずっと長年つづけてきて、いまも同じように書きつづけている。

この「みみずくの夜《ヨル》メール」を連載中、じつに多くの読者のかたがたから、お便りや、激励の言葉をかけていただいた。

ちょうど各地の寺を回る旅と、連載の時期が重なったこともあって、全国いたるところで「みみずく」を読んでくださっている読者とお会いする機会があったのを懐かしく思いだしている。

この本を出版するにあたって、まず、毎回きちんと原稿をチェックしてくださった担当記者の加藤修さんに、そしてその他の編集部のかたがたにも心からお礼を申し上げたいと思う。

またじつに楽しい挿画で花をそえていただいた村上豊画伯と、出版担当の大槻慎二さん、ADの三村淳さんにも深く感謝させていただく。

そして最後に、いつも声援を送ってくださった読者の皆さんに、ありがとうと申し上げて、あとがきの言葉にかえたい。それでは、またどこかでお会いしましょう。

横浜にて　五木寛之

この作品は二〇〇五年四月朝日新聞社より刊行された
『みみずくの夜《ヨル》メール２』を改題、加筆したものです。

幻冬舎文庫

●好評既刊
気の発見
五木寛之　対話者　望月　勇（気功家）

「気」とは何か？　ロンドンを拠点に世界中で気功治療を行っている望月勇氏と五木寛之との「気」をめぐる対話。身体の不思議から生命のありかたまで、新時代におくる、気の本質に迫る発見の書。

●好評既刊
元気
五木寛之

元気に生き、元気に死にたい。人間の命を一滴の水にたとえた『大河の一滴』の著者が全力で取りくんだ新たなる生命論。失われた日本人の元気を求めて描く、生の根源に迫る大作。

●好評既刊
僕はこうして作家になった
—デビューのころ—
五木寛之

作家デビュー以前の若き日。さまざまな困難にぶちあたりながらも面白い大人たちや仲間と出会い、運命の大きな流れに導かれてゆく、一人の青年の熱い日々がいきいきと伝わってくる感動の青春記。

●好評既刊
他力
五木寛之

今日までこの自分を支え、生かしてくれたものは何か？　苦難に満ちた日々を生きる私たちが信じうるものとは？　法然、親鸞の思想から著者が辿りついた、乱世を生きる１００のヒント。

●好評既刊
みみずくの夜《ヨル》メール
五木寛之

ああ人生というのはなんと面倒なんだろう。面倒だとつぶやきながら雑事にまみれた一日が終わる。旅から旅へ、日本中をめぐる日々に書かれた朝日新聞の人気連載、ユーモアあふれる名エッセイ。

幻冬舎文庫

●好評既刊
夜明けを待ちながら
五木寛之

将来や人間関係、自殺の問題、老いや病苦への不安……読者の手紙にこたえるかたちで書かれた、人生相談形式のエッセイ。生の意味について考えを巡らす人たちへおくる明日への羅針盤。

●好評既刊
下北サンデーズ
石田衣良

弱小劇団「下北サンデーズ」の門を叩いた里中ゆいか。情熱的かつ変態的な世界に圧倒されつつも、女優としての才能を開花させていく。舞台に夢を懸け奮闘する男女を描く青春グラフィティ！

●好評既刊
合併人事
二十九歳の憂鬱
江上　剛

ミズナミ銀行に勤める日未子は三十歳を前に揺れていた。仕事も恋も中途半端な自分。一方、社内では男たちが泥沼の権力闘争を繰り広げる。そして起きた悲劇とは？　組織の闇を描いた企業小説。

●好評既刊
ララピポ
奥田英朗

みんな、しあわせなのだろうか。「考えるだけ無駄か。どの道人生は続いていくのだ。明日も、あさっても」。格差社会をも笑い飛ばすダメ人間たちの日常を活写する、悲喜交々の傑作群像長篇。

●好評既刊
陰日向に咲く
劇団ひとり

ホームレスを夢見る会社員。売れないアイドルを一途に応援する青年など、陽のあたらない場所を歩く人々の人生をユーモア溢れる筆致で描き、高い評価を獲得した感動の小説デヴュー作。

幻冬舎文庫

●好評既刊
酔いどれ小籐次留書　薫風鯉幟《くんぷうこいのぼり》
佐伯泰英

百姓舟を営むうづが、商いに来ないことを案じる小籐次が聞きつけた彼女の縁談。だが一見、良縁の嫁入り話には、思いもよらぬ謀略が潜んでいた――。大人気時代小説シリーズ、圧巻の第十弾!

●好評既刊
覇王の夢
津本　陽

明智光秀が謀反を企てた理由。信長が企図した朝廷の権威を決定的に貶める改革の中身。天下統一の先に思い描いた究極の夢――。稀代の権力者をめぐる最大の謎に迫る津本版信長公記、完結編。

●好評既刊
かもめ食堂
群ようこ

ヘルシンキの街角にある「かもめ食堂」の店主は日本人女性のサチエ。いつもガラガラなその店に、訳あり気な二人の日本人女性がやってきて……。普通だけどおかしな人々が織り成す、幸福な物語。

●好評既刊
海に沈む太陽(上)(下)
梁石日《ヤン・ソギル》

イラストレーターになるという夢を抱き渡米した曾我輝雅を待っていたのは、人種差別と苛酷な環境だった。画家・黒田征太郎の青春時代をもとに、自分を信じて生き抜くことの尊さを描いた大長編。

●好評既刊
ひとかげ
よしもとばなな

ミステリアスな気功師のとかげと、児童専門の心のケアをするクリニックで働く私。幸福にすごすべき時代に惨劇に遭い、叫びをあげ続けるふたりの魂が希望をつかむまでを描く感動作!

あたまのサプリ

みみずくの夜《ヨル》メールⅢ

五《いつ》木《き》寛《ひろ》之《ゆき》

平成20年9月20日　初版発行

発行者――見城　徹

発行所――株式会社幻冬舎

〒151-0051東京都渋谷区千駄ヶ谷4-9-7

電話　03(5411)6222(営業)

03(5411)6211(編集)

振替00120-8-767643

印刷・製本――中央精版印刷株式会社

装丁者――高橋雅之

幻冬舎文庫

ISBN978-4-344-41194-4　C0195　い-5-16